JN126923

地域が担う郊外住宅団地の活性化事例レポート

令和２年９月

公益財団法人　日本住宅総合センター

　本報告書は、平成 29 年度および平成 30 年度に公益財団法人　日本住宅総合センターが、株式会社現代計画研究所に委託して行った調査研究「郊外住宅団地の再生に向けた整備手法のあり方に関する調査」をもとに作成したものである。

　なお、本報告書の著作権は公益財団法人　日本住宅総合センターに帰属するものである。

はじめに

　わが国では、高度経済成長期以降に都市近郊を中心に大量の住宅供給に伴い、郊外住宅団地が形成されてきたが、経年による建物や設備の老朽化が進むと共に、土地利用需要との乖離が顕在化し始めている。また、少子高齢社会・人口減少社会の到来に伴い、住宅団地内の空き家の増加や住民の高齢化が進展しており、将来的な地域社会の持続性が課題となっている。

　一方、郊外住宅団地は公共インフラが充実し、都市部より豊かな自然環境を有しており、次世代に引き継ぐべき優良なストックとも言える。

　こうしたことから、例えば、空地・空き家を積極的に活用し、必要な社会福祉施設・生活利便施設の整備や、宅地の緑地・農地への転換、土地・建物の流動性の向上、エリアマネージメントの取り組み等によって、コミュニティを活性化し、地域の魅力を創出することが求められている。

　これら住宅団地特有の課題に対し、国土交通省は、有識者などからなる「住宅団地の再生のあり方に関する検討会」を設置し、平成28年1月（第1期）及び令和元年8月（第2期）に取りまとめを行っているほか、これまでに住宅・都市計画分野を始め、多分野の研究者・専門家・評論家等により、多くの調査研究や問題提起、提言もなされてきている。

　そのため、戸建て住宅を中心とした郊外住宅団地の現地調査を通して、今一度、現在的・具体的な課題を捉えると共に、各地の空地・空き家の活用事例や住宅団地の活性化に資する取り組み事例のヒアリングと既往事例の収集を行い、郊外住宅団地の活性化の方向性を探るものとして、本調査を企画した。

目次

本レポートの構成

● **第1章　郊外住宅団地の活性化に向けた取り組み　～広島市の事例に学ぶ～**

　　広島県広島市は、地形条件や交通条件により、都心部から近郊外、遠郊外までがコンパクトにまとまった都市構造となっており、全国で起こりつつある郊外住宅団地の様々な現象や課題について、一つの自治体の中で見ることができる"縮図"のような性格を帯びていると言える。そのことにより、いち早く課題の把握や活性化に向けた取り組みが進められている、広島市の一都市圏としての取り組み状況をレポートする。

● **第2章　コミュニティの活性化・地域の魅力づくりの取り組み**

　　郊外住宅団地や、空地・空き家の利活用といった枠組みに捉われず、時代の変化やそれに伴うライフスタイルやニーズの多様化に対応して新しい場やサービスを提供し、コミュニティの活性化や地域の魅力向上を実現している事例を調査し、郊外住宅団地の活性化において応用可能な手がかりを抽出する。

● **第3章　郊外住宅団地の活性化に資する取り組み事例と担い手の整理**

　　全国各地における郊外住宅団地の活性化にかかわる取り組みについて、既往文献やインターネット上で事例を収集し、「空地・空き家活用事例」と「課題解決に向けた取り組み事例」に大別して、担い手との対応を整理する。各事例の詳細については触れられないが、参考事例を抽出するためのインデックスとなることを意図している。

　　本レポートの構成フローは、下図のとおり。

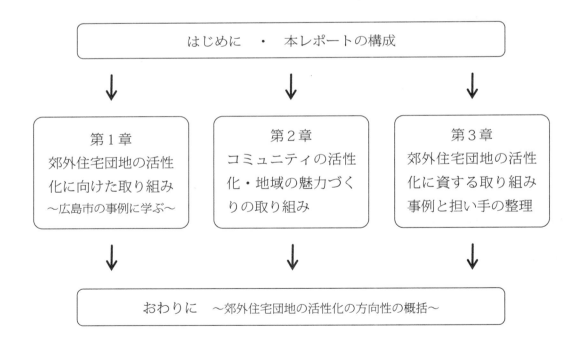

第1章

郊外住宅団地の活性化に向けた取り組み

～広島市の事例に学ぶ～

近郊外から遠郊外までが集約された
広島市郊外住宅団地の現状と課題

1. 広島市郊外住宅団地の概括

広島市郊外住宅団地の特徴

　広島市は、デルタ部を中心とする都心から近郊外、遠郊外までがコンパクトにまとまった都市構造である。都心に平地が少ないため、山を切り開き、市中心部のバスセンターを起点としたバス路線の整備と同時に、戸建て住宅を中心とする郊外住宅団地が開発されていった。ＪＲ（山陽本線、呉線、芸備線、可部線）とアストラムライン（新交通システム）が都心と郊外を結ぶ主要な動線となっているが、複線化されたＪＲ山陽本線とアストラムライン以外のＪＲ線は速度・輸送力が制限され、市民の生活動線としてバス路線の果たす役割は大きい。一例として、広島駅からの同程度の所要時間で比較すると、ＪＲ山

陽本線で岩国駅までは道程約 41km・所要 52 分（時速 47km）に対し、ＪＲ可部線で終点・あき亀山駅までは道程約 19km・所要 44 分（時速 26km）と 2 倍弱の開きがある。内陸部へのアクセスに時間を要する点は自動車でも同様で、都心と郊外の直線距離が小さくとも、時間距離は大きい関係にあると言える。住宅団地の入居は概ね昭和 40 年代以降に進められ、近郊外を中心に開発許可制度創設（昭和 43 年）以前の住宅団地も一定数見られる。昭和 50 年代に完成した大規模団地を始め、道路、公園、宅地規模等について一定の環境が担保された住宅団地が多く、相互に近接していることも広島の特徴の一つである。

　三大都市圏を除く政令指定都市 10 市（札幌市、仙

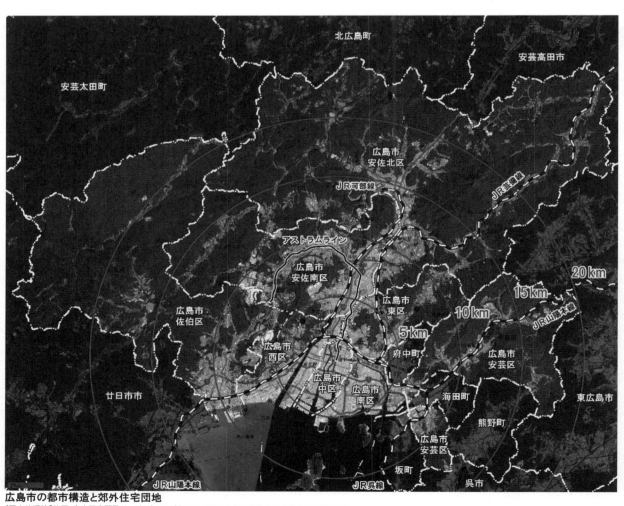

広島市の都市構造と郊外住宅団地
（国土地理院「地図・空中写真閲覧サービス（https://mapps.gsi.go.jp/maplibSearch.do#1）」を元に作成）

台市、新潟市、静岡市、浜松市、岡山市、広島市、北九州市、福岡市、熊本市）の中では、広島市の通勤・通学における自家用車及びオートバイ利用比率は4割程度で、福岡市、札幌市に次いで低い（平成22年国勢調査）。一戸建て住宅の敷地面積は、1世帯当たり約61坪で、10市の中では最も小さい（平成25年世帯土地統計）。また、住宅地の平均地価は、福岡市に次いで2番目に高い（令和2年地価公示）。これらは平地が少ない広島市の都市構造に起因するものと推察される。

広島市の人口の約25%（約30万人）が住宅団地に居住しており、住宅団地が地域を支える基盤となっている。住宅団地の居住者には広島に本社を置く企業に勤める住民も多いほか、東京や大阪等の大都市圏と異なり、近隣地域の出身者が多く、親世帯との隣居や近居が散見されることも特筆される。開発から30～40年経過している住宅団地も多く、平成24年時点で6割以上の住宅団地が広島市の平均高齢化率（20.8%）を超えている。

平成26年8月豪雨では、広島市の安佐南区及び安佐北区において土砂災害が発生した。これらの被災地域には宅地開発に関する法整備の前に開発された

住宅団地も含まれており、市内の住宅団地の一部では土砂災害警戒区域等の指定が進められている。

広島市の空き家実態調査（平成27年8月～平成28年3月）によると、市域内の空き家は約4,200戸あることが報告されているが、数ヶ月から数年で建て替えや滅失になる一時的な空き家が多いようである。

開発当初に入居した世代の高齢化や、子供が進学や就職により転出することによる少子化、高齢世帯を中心とした、利便性の高い都心部の集合住宅への転居等による人口減少が進み、バスの減便やスーパーの撤退等の生活サービス機能の低下、コミュニティ活動の活力低下等の課題が顕在化してきている。住宅や公共施設は老朽化が進み、耐震性やバリアフリー性が不足する既存ストックも多い。また、住宅団地の多くが斜面地に立地するため、団地内道路や団地へのアクセス道路が傾斜路となっている場合が多く、高齢者等の移動の障害になりやすい構造であり、入居開始時からの居住者が大多数で年齢構成に偏りがあると考えられることから、将来、住宅団地では、他の地域に先行して住み続けることが困難となる恐れがある。

こうした点から、広島市の郊外住宅団地群は、全

政令指定都市及び特別区の比較

都市圏 （三大都市圏）	区市	H27 国勢調査	H22 国勢調査			H25 世帯土地統計	R02 地価公示
		人口	15歳以上自宅外就業者・通学者総数	自家用車及びオートバイ利用者数	自家用車及びオートバイ利用比率	一戸建住宅敷地1世帯当たり平均所有面積	住宅地の平均価格
札幌圏	札幌市	1,952,356 人	881,516 人	306,741 人	34.8 %	211.3 ㎡（64.0 坪）	26.0 万円/坪
仙台圏	仙台市	1,082,159 人	497,217 人	216,428 人	43.5 %	261.6 ㎡（79.3 坪）	32.1 万円/坪
首都圏	さいたま市	1,263,979 人	598,988 人	128,681 人	21.5 %	190.2 ㎡（57.6 坪）	67.9 万円/坪
	千葉市	971,882 人	446,361 人	126,400 人	28.3 %	210.6 ㎡（63.8 坪）	39.9 万円/坪
	東京23区	9,272,740 人	3,739,935 人	271,966 人	7.3 %	127.2 ㎡（38.5 坪）	208.3 万円/坪
	横浜市	3,724,844 人	1,784,670 人	298,350 人	16.7 %	175.9 ㎡（53.3 坪）	76.4 万円/坪
	川崎市	1,475,213 人	660,937 人	77,368 人	11.7 %	147.0 ㎡（44.6 坪）	89.9 万円/坪
	相模原市	720,780 人	348,390 人	101,248 人	29.1 %	173.4 ㎡（52.5 坪）	53.2 万円/坪
新潟圏	新潟市	810,157 人	394,777 人	248,992 人	63.1 %	304.8 ㎡（92.4 坪）	18.3 万円/坪
静岡圏	静岡市	704,989 人	344,478 人	175,766 人	51.0 %	217.3 ㎡（65.9 坪）	37.7 万円/坪
浜松圏	浜松市	797,980 人	383,605 人	267,340 人	69.7 %	320.7 ㎡（97.2 坪）	24.2 万円/坪
中京圏	名古屋市	2,295,638 人	1,065,488 人	360,933 人	33.9 %	202.3 ㎡（61.3 坪）	62.3 万円/坪
近畿圏	京都市	1,475,183 人	666,253 人	174,598 人	26.2 %	130.6 ㎡（39.6 坪）	71.2 万円/坪
	大阪市	2,691,185 人	1,115,286 人	132,908 人	11.9 %	95.9 ㎡（29.1 坪）	81.4 万円/坪
	堺市	839,310 人	369,872 人	108,810 人	29.4 %	153.3 ㎡（46.4 坪）	44.6 万円/坪
	神戸市	1,537,272 人	693,875 人	183,166 人	26.4 %	172.1 ㎡（52.2 坪）	49.1 万円/坪
岡山圏	岡山市	719,474 人	338,161 人	195,157 人	57.7 %	275.9 ㎡（83.6 坪）	19.7 万円/坪
広島圏	広島市	1,194,034 人	573,821 人	233,311 人	40.7 %	200.6 ㎡（60.8 坪）	43.8 万円/坪
北九州圏	北九州市	961,286 人	440,474 人	232,462 人	52.8 %	232.6 ㎡（70.5 坪）	17.3 万円/坪
福岡圏	福岡市	1,538,681 人	686,036 人	210,198 人	30.6 %	237.4 ㎡（71.9 坪）	53.4 万円/坪
熊本圏	熊本市	740,822 人	344,422 人	195,340 人	56.7 %	306.5 ㎡（92.9 坪）	22.9 万円/坪

国の大都市の郊外住宅団地で発生し得る様々な課題が一自治体の中に集約された事例と見ることができる。更に広島市では、いち早く郊外住宅団地の活性化を目指した取り組みが始まっていることから、本章では、広島市における取り組みの状況を追うこととする。

広島市郊外住宅団地の活性化の取り組み

　広島市では、平成25年5月に有識者、団地住民、関係団体等により構成される住宅団地活性化研究会を組成し、住宅団地の活性化に向けた総合的対策についての議論を踏まえ、市の方針や施策を取りまとめた「住宅団地の活性化に向けて」を平成27年3月に策定した（https://www.city.hiroshima.lg.jp/soshiki/14/7186.html）。

　「住宅団地の活性化に向けて」は、30年後においても「住み続けられるまちづくり」及び「多様な世代が集うコミュニティの再生」を目標としており、対象は「広島市開発動向図」等により区域が特定できる開発面積5ha以上の住宅団地であり、平成25年度末に開発完了しているものは169団地に上る。各住宅団地の諸元は「住宅団地カルテ」としてデータシート化しており、住宅団地の特性（高齢化率、完成年代別、規模、路線価格、交通環境）を地図上にプロットして広島市全体の現状を視覚化している。また、今後30年間を見据え、各団地を完成年・規模・エリアごとに分類し、現居住者が住宅団地に住み続けるための課題と支援施策を分かりやすく体系付け、各課を横断的につないで施策を展開している。

　広島市は「コミュニティ再生課」を創設し、各区役所に住宅団地活性化担当（地域起こし推進課）を配置して、各団地の自主的な活動を育て、支援する

斜面状の郊外住宅団地

体制を構築している。制度化した支援メニューとしては「"まるごと元気"地域コミュニティ活性化補助金」の運用を平成27年度に開始し、「住宅団地活性化プラン」の作成や、空き家活用による交流拠点づくり、空地活用による菜園・花壇づくり、住民勉強会の開催等、9つのメニューをパッケージ化し、自治会等が主体となって取り組む活動を支援している。また、「三世代同居・近居支援事業」や「住宅団地における住替え促進モデル事業」等のメニューも用意し、子育て世帯の住宅団地への住み替えや空き家活用を促進している。

　これらの補助金の一部では、申請要件に自治会への加入を義務付けており、制度利用をきっかけとした自治会加入率の向上による地域コミュニティ活性化を図っている。広島市の自治会加入率は約6割であるが、住宅団地においては自治会加入率が9割を超える団地も珍しくなく、自治会を既に地域に浸透している信頼性の高い組織と位置付け、自治会を対象とする制度設計となった経緯がある。

　その他の特徴的な試みの一つに、「空き家等を活用した活動・交流拠点認定制度」があり、地域団体が空き家を活用して「活動・交流拠点」として認定を受けた場合に、当該空き家の固定資産税及び都市計画税を減免する。これは、広島市が総合設計制度による空地や福祉作業所として位置付けた古民家再生カフェ等への固定資産税減免を行ってきた施策的蓄積が生かされていると言える。

　広島市郊外住宅団地の活性化の取り組みは、住民活動の支援や住み替えの促進など、ソフト的施策を主軸に展開している。住宅団地のハードを整備する事業には、膨大な時間と費用を要し、支援可能な対象が限定されるのに対し、ソフトの事業は迅速で、同時に多くの住宅団地を支援することが可能なことに利点がある。

　また、空き家対策については、宅建業協会や司法書士会、建築士会など10団体と個別に広島市が協定を結んでおり、広島市の空き家バンクは不動産業者が主導する形式としている。

2. 郊外住宅団地の現状と抱える課題

典型的な団地の抽出

現地踏査を行った広島市郊外住宅団地のうち、都心からバスで 30 分圏の近郊外から五月が丘団地と美鈴が丘団地、都心からバスで 50 分圏の遠郊外からコープタウンあさひが丘、両者の中間的な立地から毘沙門台団地、の 4 つのまとまった規模の団地を取り上げ、郊外住宅団地の現状と抱える課題の抽出を試みる。

五月が丘団地の現状

約 4,000 世帯の大規模住宅団地で、団地内に保育園、幼稚園、小学校、中学校のほか、特別養護老人ホームが立地している。また、団地北側に広島修道大学が隣接し、団地内のバス停からアクセス可能となっている。完成から 30 年以上が経過しており、高齢化率は 40% に迫っている。平成 13 年に西風トンネル（広島高速 4 号線）が開通し、市中心部へのアクセスが大幅に向上し、新たな需要が生まれている。

開発当初は宅地面積が大きく設定されていたが、近年は敷地分割により価格を抑えたデザイン住宅等が供給され、利便性の低かった交通環境の改善と併せて若年世代を呼び込んでいる。狭小宅地の増加は住環境の質の低下につながる懸念がある一方、人口や高齢化率の改善効果もあり、一概に評価をするのは難しいところである。

本団地は、連合町内会や五月が丘地区社会福祉協

議会の活動が活発であり、町内会に寄贈された空き家を改修したふれあいサロン「陽だまり」が平成 28 年 2 月にオープンしている。（事例 1）

美鈴が丘団地の現状

4,000 世帯を超える大規模住宅団地で、団地内に保育園、幼稚園、小学校、中学校のほか、市立高校が立地している。完成から 30 年以上が経過しており、高齢化率は 40% を超えている。建て替えが一定程度進んでいるほか、空地は少なく、子供世代の戻り入居が多いようである。町内会のほか、まちづくり協議会、地区社協、ＮＰＯなど団地住民を担い手とした多彩な住民活動が営まれている。平成 24 年より地域サロン「ら・ふぃっと HOUSE」が開設されており、地域生活の拠点となっている。（事例 6）

開発事業者である三井不動産(株)は、近年、団地の付加価値向上と、それによる新たなビジネスチャンスの拡大を目的として、団地内の商店街の一角に拠点を再設置し、常駐する 2 名のスタッフが地域行事の手伝いや花の水やり、子供教室など、無償の地域支援サービスを提供している。（事例 7）

毘沙門台団地の現状

約 2,700 世帯の大規模住宅団地で、団地内に保育園、幼稚園、小学校、中学校のほか、県立高校、有料老人ホームが立地している。入居開始から 40 年が経

五月が丘団地 諸元

所在地	広島県広島市佐伯区五月が丘 1〜5 丁目 都心まで 6.1km（バスで 30 分）
完成年	昭和 59 年（1984 年）
開発者	大和ハウス
開発面積	121.1ha
人口／世帯 （令和 2 年 3 月）	6,900 人／3,066 世帯 高齢化率 38.8%
用途地域	第一種低層住居専用地域 建ぺい率：50%／容積率：100%
区画道路幅員	5.0m（標準）
固定資産税路線価 （広島市「住宅団地カルテ」）	最高価格：46,600 円/㎡ 最低価格：25,300 円/㎡
まちなみルール	―
自治組織	町内会・連合町内会

美鈴が丘団地 諸元

所在地	広島県広島市佐伯区美鈴が丘西 1〜4 丁目、美鈴が丘南 1〜4 丁目、美鈴が丘東 1〜5 丁目、美鈴が丘緑 1〜3 丁目 都心まで 7.0km（バスで 30 分）
完成年	昭和 61 年（1986 年）
開発者	三井不動産
開発面積	142.1ha
人口／世帯 （令和 2 年 3 月）	9,650 人／4,117 世帯 高齢化率 40.5%
用途地域	第一種低層住居専用地域 建ぺい率：50%／容積率：100%
区画道路幅員	5.3m（標準）
固定資産税路線価 （広島市「住宅団地カルテ」）	最高価格：64,900 円/㎡ 最低価格：31,200 円/㎡
まちなみルール	
自治組織	町内会・連合町内会（地域認可法人）

過しており、高齢化率は30％を超えている。町内会のほか、学区社協（小学校区を活動範囲とした社会福祉協議会）が中心となり、地域の活動・交流を促進している。平成28年に「毘沙門台ふれあいセンター絆」が開設され、地域の暮らしを豊かにするイベントや住民活動の舞台となっている。（事例2）

コープタウンあさひが丘の現状

農協（旧：安佐町農協、現：JA広島）が開発したことが特徴の3,000世帯を超える大規模住宅団地で、広島市動物公園に隣接している。団地内に保育園、幼稚園、小学校、中学校が立地している。完成から40年が経過し、高齢化率は40％を超えている。

空地は市民菜園化や2台目として利用する集合駐車場等の活用が比較的多い。また、団地内の住み替えや周辺集落から転入するケースが見られる。

連合自治会が全戸アンケートを実施（回収率82％）し、住宅団地の課題の把握に努めている。（事例4）

課題1：人口減少・少子高齢化による生活サービスの低下

高齢者の退職、少子化による通勤・通学人口の減少により公共交通需要が低下し、便数の削減や路線の廃止が見られる。行政支援を受けたコミュニティバスなどの取り組みもあるが、継続性の課題がある。

団地内スーパーの撤退等が見られ、今後の高齢化の進展により運転が困難となった場合に、坂道の多い団地内での移動や買い物に大きな支障を来たし、団地での生活継続が困難になることが懸念される。

高齢者数が増大する中で、地域との連携による介護予防や在宅でのサービス提供を推進していく必要がある。団地内には、NPO等がデイサービスや集いの場を運営している例があるが、事業者の確保や都市計画上の用途制限、近隣合意等がハードルとなる。経済的に余裕のある高齢の住民が、日常生活に支障を感じて子供世帯の周辺へ移り住んだり、都心のマンションを購入するなど、住宅団地を離れていくことで、さらに人口減少が加速していく可能性がある。

課題2：少子高齢化による地域コミュニティの低下

地域生活を支えてきた自治会等の活動も、高齢化による身体能力の低下や若年世代の減少による担い手不足により、停滞傾向にあり、行政サービスへの要求拡大につながる。自治会未加入世帯は、地域生活に必要な街灯料金の支払いやごみ当番、子供の行事等について、負担を負わずにその利益を享受するフリーライダーとなる。居住者の地域社会との関わりが薄れることで、高齢者の引きこもりや孤独死の発生も懸念される。

これらについては、高齢の住民が主体となって活動の拠点を立ち上げるなどの成功例が生まれつつあるが、そこでも担い手の円滑な世代交代が課題となっている。

毘沙門台団地　諸元

所在地	広島県広島市安佐南区毘沙門台1～4丁目，毘沙門台東1・2丁目 都心まで9.3km（バスで40分）
完成年	平成4年（1992年）
開発者	広電建設
開発面積	110.9ha
人口／世帯（令和2年3月）	6,956人／2,850世帯 高齢化率34.0％
用途地域	第一種低層住居専用地域 建ぺい率：50％／容積率：100％
区画道路幅員	5.5m（標準）
固定資産税路線価（広島市「住宅団地カルテ」）	最高価格：89,000円／㎡ 最低価格：33,000円／㎡
まちなみルール	地区計画・建築協定
自治組織	町内会

コープタウンあさひが丘　諸元

所在地	広島県広島市安佐北区あさひが丘1～9丁目 都心まで12.6km（バスで50分）
完成年	昭和51年（1976年）
開発者	広島安佐農協
開発面積	145.8ha
人口／世帯（令和2年3月）	6,508人／3,052世帯 高齢化率44.1％
用途地域	第一種低層住居専用地域 建ぺい率：50％／容積率：100％
区画道路幅員	6.0m（標準）
固定資産税路線価（広島市「住宅団地カルテ」）	最高価格：27,100円／㎡ 最低価格：13,800円／㎡
まちなみルール	建築協定
自治組織	自治会・連合自治会・団地管理組合法人

課題3：住宅の老朽化や居住ニーズの不一致による まちの魅力の低下

郊外住宅団地では、同時期にサラリーマンの核家族を中心とする同世代の世帯が一斉に入居してきた経緯がある。子供が独立した後の親世代は、高齢の夫婦二人世帯または単身世帯となり、子供が住み継がない持ち家への再投資は進まない。相続後もただちに売却や賃貸に出されるケースは少なく、残った家財の処分や、後の利用についての判断を留保するうちに老朽化が進み、不動産価値を低下させる例が少なくない。

子世代に住み継ぐ意思がある場合も、二世代・三世代が円滑に同居できる規模の宅地や住宅ストックは少なく、大半の住宅で不足する耐震性能・省エネ性能・バリアフリー性能などを確保するための改修コストも逆風となる。更に遠郊外の住宅団地では、通勤・通学の不便さが、子供世帯のUターンを踏み留まらせる要因の一つとなる。特に近年は共働き世帯が増加しており、通勤・通学の便が良く、生活利便性の高い都心部やその周辺が若年層に好まれる傾向にある。少子化が著しく進行し、児童福祉施設の撤退や小学校の統廃合など、子育て支援及び教育サービスの継続性が危ぶまれる点も、郊外から若年層を流出させる要因の一つと考えられる。

都心と比較した郊外の代表的な利点として、周辺の豊かな自然環境が挙げられるが、その他の資源は乏しく、子育て世代の転入を促す十分な魅力になり得ているとは言いがたい。

課題4：空地・空き家の増加による住環境の質の低下

都心から離れるほど開発当初からの空地（未分譲または未建設敷地）が多いことに加え、世帯数減少に伴う空き家の増加により、郊外住宅団地の空洞化が進行している。管理放棄された空地・空き家は、防犯性や防災性の低下、雑草の繁茂等、ゴミや車両の不法投棄、家屋の劣化・崩壊等による生活衛生環境の悪化、周辺景観の悪化等の深刻な課題を引き起こし、住環境の価値を低下させ、長期的には自治体の財政負担を生じさせる可能性もある。このような状況が、遠郊外の住宅団地の周縁から徐々に発生していると考えられる。

課題5：街の将来像の欠如

自治会加入率の低下の一因に、自治会役員の負担が大きいことが挙げられ、特に子育てや介護を抱える世帯では深刻な課題となる。年齢や家庭事情に応じた免除規定を設ける例があるほか、負担の集中を防ぐことを目的として、役員の1年交代制を採用する自治会もあるが、前年度の踏襲に終始して新たな展望など長期的な視野が持てないことが課題となる。

郊外住宅団地を住み続けられる街とするためには、世代の多様性が不可欠であり、様々な住宅需要に応える住宅供給や、多世代の生活需要に応えるサービスの確保が課題と言え、総合的な視点からのエリアマネージメントの仕組みとその担い手が求められる。

［参考文献］
・広島市「住宅団地の活性化に向けて」（平成27年3月）
・広島市「住宅団地カルテ」
・広島市「広島市空家等対策計画」（平成29年3月）
・財団法人ちゅうごく産業創造センター「都市郊外団地の再生に向けた方策検討調査報告書」（平成21年3月）

近郊外の五月が丘団地

遠郊外のコープタウンあさひが丘

課題に対する処方箋としての取り組み事例

　郊外住宅団地の抱える課題への対応の可能性について、広島市郊外住宅団地における取り組みの実践例から示唆を得ることができる。各課題への対応方針と対応策を以下のように抽出し、その視点を踏まえ、取り組み事例を紹介する。

　また、課題を横断する取り組みとして、広島市及び廿日市市の住宅団地住民が参加した「広島郊外住宅団地ネットワーク」がある。その呼びかけ人の一人であり、広島市の「住宅団地活性化研究会」でも委員長を務めた間野博氏（県立広島大学名誉教授）に、ネットワークの設立経緯と今日的意味について紹介いただく。

方針1：生活の維持、質の向上
　課題1「人口減少・少子高齢化による生活サービスの低下」に対応する方策は、次の通り。

●地域交通
　低下した公共交通サービスを補完する取り組み。

●生活支援
　買い物や食事等の生活サービスを提供する取り組み。

●福祉サービス
　介護予防の促進や、在宅医療・介護・福祉サービスを提供する取り組み。

方針2：地域コミュニティの維持・見直し
　課題2「少子高齢化による地域コミュニティの低下」に対応する方策は、次の通り。

●交流拠点
　地域交流の拠点を立ち上げる取り組み。

●担い手
　地域活動の担い手の育成につながる取り組み。

方針3：まちの魅力向上、新規住民の獲得
　課題3「住宅の老朽化や居住ニーズの不一致によるまちの魅力の低下」に対応する方策は、次の通り。

●土地・建物の流動性向上
　既存住宅ストックの流通を促進させる取り組み。

●住宅の供給
　多世代居住の実現に資する、若年層等のニーズに応じた住宅を供給する取り組み。

●子育て支援
　子育て支援や教育についてのサービスを提供する取り組み。

方針4：住環境の質の低下の抑制
　課題4「空地・空き家の増加による住環境の質の低下」に対応する方策は、次の通り。

●空地・空き家の維持管理
　空地・空き家の適正な維持管理を促進する取り組み。

●空地の活用
　空地を活用する取り組み。

●空き家の活用
　空き家を活用する取り組み。

方針5：街の運営・経営
　課題5「街の将来像の欠如」に対応する方策は、次の通り。

●エリアマネージメント
　将来像を見据え、住宅団地のマネージメントを目指す取り組み。

●コミュニティ・ビジネス
　地域サービスを提供するコミュニティ事業について、補助金に頼らない事業継続を目指す取り組み。

課題	1:人口減少・少子高齢化による生活サービスの低下			2:少子高齢化による地域コミュニティの低下		3:住宅の老朽化や居住ニーズの不一致によるまちの魅力の低下			4:空地・空き家の増加による住環境の質の低下			5:街の将来像の欠如	
対応方針	1:生活の維持、質の向上			2:地域コミュニティの維持・見直し		3:まちの魅力向上、新規住民の獲得			4:住環境の質の低下の抑制			5:街の運営・経営	
対応策	地域交通	生活支援	福祉サービス	交流拠点	担い手	土地・建物の流動性向上	住宅の供給	子育て支援	空地・空き家の維持管理	空地の活用	空き家の活用	エリアマネージメント	コミュニティ・ビジネス
1 ふれあいサロン「陽だまり」				●	●						●		●
2 ふれあいセンター絆				●	●					●	●	●	●
3 花壇・さつま芋づくり								●		●			
4 住み継ぎを支える仕組みづくり	●	●				●						●	
5 空地の集合駐車場利用	●				●				●	●		●	●
6 ら・ふぃっとHOUSE	●		●	●	●						●	●	●
7 事業者によるエリアマネージメント支援				●		●	●		●			●	
8 宅地面積の2戸1化による空地解消						●	●			●			

課題に対応する処方箋としての事例の位置付け

1 地域住民が気軽に訪れる場
ふれあいサロン「陽だまり」

広島県広島市佐伯区
「五月が丘団地」

【五月が丘団地の概要】

住所：広島県広島市佐伯区五月が丘
1～5丁目

立地：
広島市中心部より6.1km（バス30分）

完成年：
（1期）S51年、（2期）S59年

開発面積：
（1期）109.8ha、（2期）11.3ha

事業手法：区画整理（民間事業者）

計画戸数：不明

人口：6,900人 ※

世帯数：3,066世帯 ※

高齢化率：38.8% ※

※広島市統計情報（令和2年3月）

五月が丘団地

　五月が丘団地は、広島市の中心部から北西へ約6km、同市佐伯区の東端に位置する住宅団地である。開発面積は約120haで、入居は昭和47年頃から始まり、昭和59年に完成、現在は約3,000世帯、約7,000人が生活している。

　居住者曰く、「市中心部へのア

クセスは少し不便なものの、そう遠い訳でもない」という距離感だという。

現在の状況

　当時30代であった第一次入居世代の高齢化が一様に進み、徐々に世代交代や、空き家も散見され始めている状況である。空地の発生もあるが、開発当時の宅地面積

五月が丘団地位置図

周囲を山に囲まれた五月が丘団地の街並み

まだそれほど多くはない管理されていない空地

空き家らしき家屋

新規に供給されている住宅も散見される

が大きめであるため、宅地分割により約 3,000 万円弱の売値とすることで、若い世代の新規入居がある状況だという。管理放棄された空き家、空地はまだそれほど多くはないようである。

新規に入居する子育て世代の多くは町内会へ加入する一方で、従前からの居住者である高齢者が役員の負担から町内会を辞めるケースも多く見られるため、町内会毎に繋ぎ止めるための工夫をしているという。

買い物環境は、当初団地内に存在したスーパーが、車で5分の距離にできた大型スーパーの影響により閉店、その後跡地への出店があったため事なきを得ているが、当時の経験から団地内スーパーの存続のために、積極的利用を呼びかけているという。

まちづくりの担い手

五月が丘団地のまちづくりの中心は、「五月が丘連合町内会」と「五月が丘地区社会福祉協議会（以下、地区社協）」が担っている。毎年役員が交代するため、継続的な事業に取り組み難いという町内連合会のウィークポイントを地区社協が補っているとも言える。「五月が丘連合町内会」は法人格を取得しており、後述する交流拠点の建物の所有・管理を行っている。

交流拠点「陽だまり」

ふれあいサロン「陽だまり」は、平成 28 年 2 月に開設された地域の交流拠点である。

「陽だまり」が運営されている建物は、元団地住民の住宅で、遺言により連合町内会に寄贈され

たものである。遺言書には、「養子を取った場合は養子に、そうでない場合は五月が丘連合町内会に寄贈する。」と記述されており、亡くなったご夫婦には養子はおらず、法定相続人からの異存もなかったため、連合町内会に寄贈される運びとなった。また、住宅の他にも不動産（土地、山等）8 物件と、一千数百万円の現金も合わせて寄贈されたという。

町内連合会は臨時総会を開き、「陽だまり」の土地・建物を残し、その他の不動産はすべて処分するとの結論に至った。売却により得た資金と、寄贈された現金を不動産取得税や登記費用等に充てることで、資産を持たない町内連合会でも土地・建物の取得が可能となった。処分した不動産のトータルでの価値が低下していたため、節税できたことも幸いしたという。相続にあたっては、連合町内会を法人化する必要があったため、法人化手続きに1年弱、不動産手続きに1年ほどかかり、オープンに漕ぎつけることができた。

取得した建物は、築3〜4年の2階建ての住宅で、五月が丘公民館から近く、バス停の前で交通の便もよい立地であったため、交流拠点として整備するのに適していた。1階は、間仕切り壁を減らして一続きの空間に改修してサロンとし、2階は従前のまま改変はせずに連合町内

存続のため団地内スーパーの積極的な利用を心がけているという

地域交通
生活支援
福祉サービス
交流拠点
担い手
土地・建物の流動性向上
住宅の供給
子育て支援
空地・空き家の維持管理
空地の活用
空き家の活用
エリアマネージメント
コミュニティビジネス

生活の維持、質の向上
地域コミュニティの維持・見直し
まちの魅力向上、新規住民の獲得
住環境の質の低下の抑制
街の運営・経営

会と地区社協の事務所として活用している。改修費用は200万円程度（間仕切り壁撤去、エアコン設置、家具等購入）で、広島市の「"まるごと元気"住宅団地活性化補助金」（約50万円）を活用した。

サロンの運営

サロンの運営は、地区社協が行っている。ボランティアにより、月・水・金の週3日、10〜15時オープンで、気軽に誰でも立ち寄れるよう利用料は100円としているという。

サロンは、広島市により「空き家等を活用した活動・交流拠点」に認定され、固定資産税相当額の補助金収入があるため、ランニングコストは光熱水道費のみで済んでいる。

持続的なサロン運営を目指すにあたり、ボランティアの負担を軽減するため、日常的なイベントの企画はあまり行っていないというが、茶菓子があれば何時間でも井戸端会議が続くという。

ボランティアは、説明会を開催して募集し、趣旨に賛同してくれた方44名でスタートした。毎回2名が担当し、現在は約40名。すべて団地内に居住の女性で、ほとんどが70代だという。毎回、参加者の中から

先生役を一人決め、帰る時には「先生さようなら、皆さんさようなら」と挨拶して、どっと笑いが起こって帰るのだというエピソードは、まさにコミュニティの核として機能している「陽だまり」の賑やかな光景が目に浮かぶものである。現状では利用者はほとんどが女性であるが、奥さんを亡くされた男性の常連さんも3名ほどいるという。来ても女性のおしゃべりを眺めるだけだが、この雰囲気が好きだと言って通ってくれているということで、今後も自宅に引きこもっている男性を「陽だまり」に誘い出して、地域の本当の拠点として機能させていきたいと考えている。

地区社協はその他、敬老会の開催、ふれあい会食の開催、花壇の管理、介護タオル用の古布回収等の取り組みを行っている。

今後の展望

現状は、高齢者を対象とした取り組みが主体となっているが、今後は子育て世代を対象とした事業にも取り組んでいきたいと考えているという。今後徐々に進んでいくであろう世代交代の中で、「新規に流入してくる若年世帯を中心とした若い人や子どもたちと一緒に取り組むこと

で、互いに気づき合うことのできる風土づくりをしていきたい」と地区社協の元会長である田中氏は語る。

ふれあいサロンの手描きイラスト看板

連合町内会と地区社協の事務所に併設

寄贈された住宅を改修したサロンの外観

住宅のリビングを活用したサロンの内観

庭につくられた日除けパラソルのあるテラス

16

2 地域の活動・交流拠点
ふれあいセンター絆

広島県広島市安佐南区
「毘沙門台団地」

【団地概要】

住所：広島県広島市安佐南区毘沙門台1〜4丁目、毘沙門台東1・2丁目

立地：広島市中心部より9.3km（バス40分）

完成年：H4年（1992年）

開発面積：110.9ha

事業手法：開発許可（民間事業者）

計画戸数：2,659戸

人口：6,956人 ※

世帯数：2,850世帯 ※

高齢化率：34.0% ※

※広島市統計情報（令和2年3月）

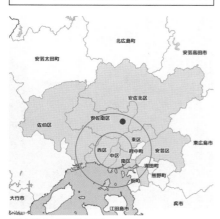

毘沙門台団地位置図

毘沙門台団地

毘沙門台団地は、広島市の中心部から北へ10km弱、安佐南区の東に位置する住宅団地である。

開発面積は約110ha。開発事業者は広電建設（株）（広島電鉄（株）のグループ会社）で、第一期から第三期にかけて分譲され（昭和49年入居開始）、平成4年に完成した。第三期は現在も分譲中となっている。

広島市中心部からの公共交通は、アストラムライン（新交通システム）で、団地入り口の駅までは約20分程度。また、乗り合いバスが団地内を網羅し、公共交通の利便性は比較的高い。

一方、丘陵地を開いて造成・開発した団地であるため、団地内の高低差の大きい地形となっており、坂道の多い道路は高齢者の日常生活の懸念材料である。

現在の状況

人口は、約2,900世帯、約7,000人で、高齢化率はおよそ34.0%（※1）となっており、広島市の高齢化率（25.3%：令和2年）より高くなっている。開発期に合わせ、町内会も3つに分かれており、約8割強が町内会に加入しているという。一方で、親の負担が大きいとの理由で、子供会の加入率は減少傾向にある。

生活利便施設は団地内に比較的充実しており、スーパーマーケットやガソリンスタンドもある。これら生

巨大な擁壁が連続する団地へのアプローチ道路

地域交通
生活支援
福祉サービス
交流拠点
担い手
土地・建物の流動性向上
住宅の供給
子育て支援
空地・空き家の維持管理
空地の活用
空き家の活用
エリアマネージメント
コミュニティビジネス

生活の維持、質の向上
地域コミュニティの維持・見直し
まちの魅力向上、新規住民の獲得
住環境の質の低下の抑制
街の運営・経営

坂道の多い団地内道路

活利便施設の存続が今後の団地の持続性に大きくかかわるとの危機感を持っており、積極的に活用するよう住民への呼びかけ等を行うと同時に、スーパーマーケットとは定期的にミーティングを行い、室温の調整など細かいことから、各戸への配達サービスの希望など、住民の要望を伝える機会を持っている。一方、団地内唯一のコンビニエンスストアが平成26年に撤退するなどの不安要素もある。

　団地内および団地周辺には教育施設が充実しており、文教地区として子育て世代への訴求力もあるため、転出等により空き区画が発生しても比較的すぐに次の住民が転入してくる傾向があるというイメージを地域住民は持っているという。しかし、現実には空地・空き家は206件（内、空き家57件）（平成27年12月末現在）（※2）と近年増加傾向にあるようだ。

ふれあいセンター絆

実現の経緯

　平成28年6月に地域の活動・交流拠点として「毘沙門台ふれあいセンター絆」がオープンした。

　建物は、団地内の取り壊しが決まっていた広島市所有の旧消防職員待機住宅を無償で借り受け、リフォームして活用している。地域住民自らが利用計画を作成し、市に要望した。市長は「地域が検討しているなら」と、窓口を通し

て の 1 年程の交渉を経て、市が施設管理者としてのリフォームや維持管理の費用を負担しないことを条件に、施設の一部を地域に無償で貸し出すこととした。

改修資金の調達

　改修資金は、地域が自らの手で調達した。トータル約464万円で、内訳は地域住民の募金が一番大きく約152万円、赤い羽根共同募金が約148万円、地元企業の支援が約69万円、その他の補助金で約95万円となっている。

　補助金を活用する以上、取り組みが外に見える形にする必要があると考え立ち上げたウェブサイトは、累計で18万3,000ほどのアクセスがあるという。

改修内容

　改修は、スプリンクラー等消防設備の設置を必要としない範囲で抑えるため、建物全体24戸のうち4戸（約280㎡）とした。

　上下水道の直引き工事や、間仕切り壁撤去等による間取りの変更のリフォーム等を行ったが、団地内のネットワークで手を確保したため、費用の大半は材料費に充てられたという。

取り壊しが決まっていた旧消防職員待機住宅

ふれあいセンター絆の看板

貸し出しも行うサロンの一部屋

レクリエーションルーム

相談・談話コーナー

子育て支援スペース1

子育て支援スペース2

体操もできるオープンスペース

会議スペースの机と椅子は近隣の喫茶店で使用していたものを提供してもらうなど、改修の噂を聞きつけては現場に赴き、家具等の備品を譲り受けたとのことである。

施設の運営・企画

運営は、毘沙門台学区社会福祉協議会（以下、学区社協）が主体となり、地域住民のボランティアで行っており、基本的には9時～17時で毎日オープンしている。オープンから現在までの利用者は、延べ7,000人を超えているという。

外壁の壁画は、団地内の安古市高等学校の美術部が製作してくれたもので、お返しに団地の高齢居住者が先生役となって周辺の竹林の竹を使った門松づくりのイベントを開催するなど、交流がある。

その他、日常的に様々なイベントを企画しており、コンサートや歌声サロン、各種講座や趣味の教室などを開催している。取材当日に開催された月1回の蕎麦打ち教室の参加者は15名で、2歳の子連れ家族や外国人夫婦などが楽しんで帰ったという。

また、毎週土曜日の朝には、単身高齢者を主な対象として、1食300円のモーニングサービスも行っている。助成を受けている関係上、収益を出せないため、会費は基本的に1回200円、食べ物を出す時は実費相当で300円（蕎麦打ち教室は500円）としている。

「この場所に常に親子3世代が楽しみながら集えるような企画を意識しており、参加してくれる住民の声が次の企画のヒントになる。企画が失敗した時はやめればいいだけなので。」とは、学区社協の事務局長林氏の言葉。

市からの貸与期間は5年で設定されており、その後も継続して借りることができるかは、地域の努力次第と言えそうである。

安古市高等学校の美術部製作による壁画

生活の維持・質の向上

地域コミュニティの維持・見直し

地域交通

生活支援

福祉サービス

交流拠点

担い手

まちの魅力向上、新規住民の獲得

土地・建物の流動性向上

住宅の供給

子育て支援

住環境の質の低下の抑制

空地・空き家の維持管理

空地の活用

空き家の活用

街の運営・経営

エリアマネージメント

コミュニティビジネス

ふれあいセンター敷地内の菜園

元気な男性陣

　男性が元気なのも毘沙門台団地の特徴のひとつと言えそうである。この種の交流拠点の事例や高齢者福祉施設での活動では、女性が積極的に活動し、男性は一歩引いていたり、参加自体を望まなかったりということが少なくないが、ふれあいセンター絆では少し違った光景を目にすることができる。

　「メンズサロン」、「畑でサロン」といった企画がその代表的なものである。

　仕事中心の生活を送り定年退職した男性が、地域に溶け込む格好の場となっている「メンズサロン」は、1～2ヶ月に1回の開催で、平成30年2月までで72回もの開催回数を数える。日曜の夕方に60～70代の参加者を中心に集まり、缶ビール片手に近況を報告しあったり、イベントの企画を練ったりするという。

　「畑でサロン」は、「メンズサロン」から派生した企画で、団地周辺の耕作放棄地に目をつけ、賃料8,000円で400坪の畑を借りて野菜作りをしている取り組みである。農業に関しては素人の団地住民が農作業をしていると、近隣の農家の方がアドバイスをしてくれたり、そのお返しに収穫物をお裾分けしたりするなど、団地内だけでなく近隣の集落との交流も生まれているという。当初は、疎まれるのではという声もあったそうだが、農家にとっては耕作放棄地に雑草が生えないだけでも嬉しいようだ。収穫物はふれあいセンター絆でイベント時に煮炊きするなどして楽しんでいるそうだ。

他団体とのつながりづくり

　学区社協の構成団体は14団体で、町内会やPTA、こども会、青少年問題協議会など。ふれあいセンター絆ができたことで、コミュニケーションが格段に良くなったという。各団体の代表者が午前中に滞在し、それぞれの悩みを打ち明けるなど、風通しの良さを感じる。現在、学区社協と町内会の会長は兼務であるが、町内会長は団地内住民へ向けた内向きの組織で、学区社協は対外的な顔としての外向きの組織として役割分担をしている。

空地・空き家対策

　林事務局長は、「空き家対策は事前のつながりづくりが重要だ」と言う。ふれあいセンター絆では、遺産相続講座や住宅相談会を開催しているが、初期に相談会に参加した方が最近具体的に動き出しているということもあり、学区社協でそれを把握できているということに価値がある。

　空地・空き家の把握には、平成26年度に採択された「住宅団地型

空地（未分譲宅地）の花壇利用

既存住宅流通促進モデル事業」で製作してもらった 2,000 分の 1 の縮尺の団地の模型が非常に役立っているという。ふれあいセンター絆に常設しており、空地・空き家の情報をプロットしている。情報収集は、街を歩いて足で稼ぐそうだ。

第3期地区には、未分譲宅地がまだ残っているということで、不動産屋に相談し、敷地の道路に面した部分を花壇として活用させてもらっているという。団地の入り口や、バス停、消防署等の公共用地などにも花壇を広げて、「花を見ながら散歩していたら、いつの間にか3km歩いていた」というような街にしたいと語る。

今後に向けて

二人のキーパーソン

毘沙門台団地では、学区社協会長の木村氏（82歳）と、前述の事務局長の林氏（81歳）が精力的に活動されていることが非常に大きい役割を果たしている。

木村会長は、ほぼ毎日ふれあいセンター絆に顔を出し、様々な人と会話をするという。住民から何か困りごとの相談があればすぐに飛んでいき、団地への転居を検討している人がいれば、不動産屋に行く前に会長を訪ねてきて、会長が直接街を案内するということもあるという。

つながりの拡大

地域にはまだまだ多くの人的資源が眠っており、知恵や知識、技術を持つ人たちをいかに引っ張り出すかが課題だと考えている。リタイアした男性は、高学歴・高役職だった人も多いため、「一緒にやりませんか」と積極的に働きかけていくことが大事だと言う。畑で3時間黙々と作業するだけでも、時間を共有することで連帯感や仲間意識が高まるものだというのが、「畑でサロン」の活動を通しての林事務局長の実感だ。

オープンから現在までのふれあいサロン絆の延べ利用者数は、既に団地人口を超えてはいるが、交通手段等の問題もあり、まだまだ利用されていない人も多いため、利用率を上げる努力をして地域の関係づくりを進めたいと意気込んでいる。

※1　広島市統計情報（令和2年3月）を用いて算出

※2「住宅団地型既存住宅流通促進モデル事業」　実施報告書

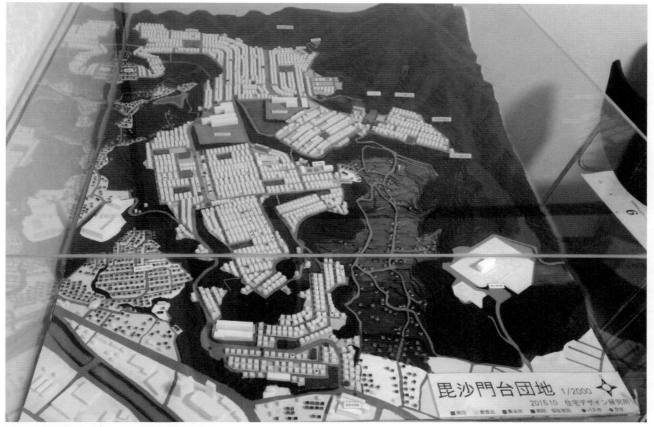

空地・空き家情報をプロットしている団地の模型

地域交通
生活支援
福祉サービス
交流拠点
担い手
土地・建物の流動性向上
住宅の供給
子育て支援
空地・空き家の維持管理
空地の活用
空き家の活用
エリアマネージメント
コミュニティビジネス

生活の維持、質の向上
地域コミュニティの維持・見直し
まちの魅力向上、新規住民の獲得
住環境の質の低下の抑制
街の運営・経営

3 空地を活用した花壇・さつま芋づくり

【団地概要】

住所：広島県広島市安芸区矢野南1
丁目の一部、矢野南2～5丁目 他

立地：
広島市中心部より9.0km（バス50分）

完成年：
H9年（1997年）

開発面積：
104.7ha

事業手法：区画整理（組合施行）

計画戸数：2,519戸

人口：6,947人 ※

世帯数：2,517世帯 ※

高齢化率：13.7% ※

※広島市統計情報（令和2年3月）

安芸矢野ニュータウン

　安芸矢野ニュータウンは、広島市の中心部から南東へ約9km、隣接自治体である矢野町、海田町、坂町に挟まれた安芸区の飛び地内、JR呉線の東側のなだらかな丘陵地に位置する住宅団地である。広島駅から矢野駅までは15分弱と、広島市中心部からのアクセス性は高い。

　開発面積は約105ha。組合施行の土地区画整理事業により整備され、平成9年に完成した。開発時に地区計画が策定されている。

現在の状況

　人口は、約2,500世帯の約7,000人で、団地全体の高齢化率は13.7%（広島市統計情報）で、広島市の25.3%（令和2年現在）よりもかなり低い数字であるが、

安芸矢野ニュータウン位置図

安芸矢野ニュータウン位置図

市より無償貸与された敷地での花壇・さつまいも畑の全景

分譲時期によりエリア毎に差があることが予想される。

町内会は、矢野南連合町内会の下、1〜5丁目毎に5つの町内会が存在している。670世帯の3丁目町内会は、役員17人で、40代の子育て世代の女性が中心で、高齢者は4〜5人という構成。役員の人材次第で広報誌の矢野南三丁目だよりを発行できるのだという。3丁目は団地の中でも最初期に入居開始されたエリアで、1番古い住宅で20年前後になる。住民のおよそ3割程度は近隣の矢野町、熊野町からの転居となっている。

空地や空き家は非常に少なく、交通の便の良さと生活利便施設の充実等により、空き家が発生してもすぐに売れてしまうという状況を維持している。

一方で、丘陵地に造成された団地のため坂が多く、車以外での移動に多少難があるため、転出により中古として家が売りに出されるケースも目立ち始めている。当初予定されていた中学校の建設は凍結され、団地住民がグラウンドとして活用し、お祭りなどを開催している。

花壇・さつま芋畑

現在3丁目町内会では、広島市から無償貸与された市有地を花壇やさつま芋畑として活用している。

この土地は、元々集会所の建設予定地であったが、計画中止となり、開発事業者が土地を半分だけ隣地の所有者に売った残りが、市に譲渡されたもの。空地に雑草が生え、比較的交通量が多い道路沿いで、景観が悪かったため、何とか町内会で利用できないかと考えたのがきっかけとなった。

雑草を花に変えて住民の集いの場とし、さつま芋を植えて収穫祭を企画したり、地域の高齢者に配布したりすることで新たな繋がりを生もうというのがコンセプトである。さつま芋としたのは、安芸区役所の地域起こし推進課の当時の担当者が、安佐南区などでの先例を教えてくれたのがきっかけだという。

花壇・畑づくりは、専門的な知識のある住民が技術指導し、地域住民約30人が参加したワークショップにより行った。一番の問題は水の供給であったが、町内会の負担により水道を敷設（30〜40万円）して水栓を設置した。

費用には、市の補助金“まるごと元気”住宅団地活性化補助金」10万円を活用している。

水やりや草取りは、町内会の役員で当番表を作成し、週2回定期的に2〜3名で行っている。

11月には収穫祭を開催しているが、150人も集まった年もあり、皆で芋掘りをし、公園に場所を移して焼き芋を楽しむという。収穫祭を団地の一斉清掃の日に合わせて開催したことが、子どもたちがたくさん参加してくれた理由のようだ。

さつま芋は秋に収穫祭を行う

菜園の案内看板

雑草の生えた空地

地域交通　生活支援　福祉サービス　交流拠点　担い手　土地・建物の流動性向上　住宅の供給　子育て支援　空地・空き家の維持管理　空地の活用　空き家の活用　エリアマネージメント　コミュニティビジネス

生活の維持、質の向上　地域コミュニティの維持・見直し　まちの魅力向上、新規住民の獲得　住環境の質の低下の抑制　街の運営・経営

4 円滑な住み継ぎを支える ための仕組みづくり

【団地概要】

住所：広島県広島市安佐北区あさひ
が丘1〜9丁目

立地：
広島市中心部より12.6km(バス50分)

完成年：
S51年(1976年)

開発面積：
145.8ha

事業手法：不明(旧安佐町農協)

計画戸数：2,978戸

人口：6,508人 ※

世帯数：3,052世帯 ※

高齢化率：44.1% ※

※広島市統計情報(令和2年3月)

コープタウンあさひが丘位置図

コープタウンあさひが丘

あさひが丘団地(通称：コープタウンあさひが丘)は、政令指定都市・広島市の北端にある山間地域の集落を中心とした安佐北区に開発された団地。中心部から北へ約12〜13kmの立地で、新交通システム・アストラムラインの最寄り駅である上安駅から車で10分の距離である。

開発面積は約145ha。開発事業者は、JA広島に合併前の安佐町農協。造成は昭和48年から開始し、昭和51年に完成した(入居開始は昭和50年)。

安佐町の特色は、行政的には広島市に属しながらも、安佐町農協が中心となって地域の乱開発を抑制しながら、独自の地域振興を図ってきたところにあり、その中で整備されたコープタウンあさひが丘には、団地内で暮らせるための必要な生活機能が中心部に集約配置されている。

現在の状況

現在の人口は約6,500人で、世帯数は3,000世帯強。ピークは平成4年の9,000人だった。団地全

開発事業者であるJA広島

団地中心部に配置された商業施設ゾーン

24

坂道の多いコープタウンあさひが丘の街並み

体の高齢化率は44.1%（広島市統計情報）で、広島市の25.3%（令和2年現在）よりもかなり高くなっている。

あさひが丘連合自治会は18区の自治会で構成されている。各区は一斉に販売されたため、第一世代の入居時期に大きな差はなく、各区とも一様に高齢化が進んでいることが予想される。

子供の数は、小学校の児童数（ピーク昭和60年1,400人→平成29年298人）、中学校の生徒数（ピーク昭和63年760人→平成29年149人）のいずれも減少傾向にある。小学校の児童の半数以上が県営住宅への入居世帯となっている。

自治会の運営

自治会加入率は95%で、子育て世帯もほぼ加入しているという。その一方で現在は、役員負担の大きさや、ゴミが各戸回収となっていることにより、徐々に自治会からの退会が増え始めている。

役員負担を軽減するため、任期を1年とする自治会が18区中16区あったが、2〜3年継続しないと長期

的な視野が持てずに弱体化していく傾向にある。

特に運動会等の行事は準備の負担が大きく、「もう止めよう」との話が毎年出るのだが、「一度止めたら二度と開催できなくなるから」と言ってなんとか継続している状況がある。このような地域行事がなくなってしまうと、子育て世代にとってこの街に住む魅力がひとつ失われてしまうと考えているという。

団地内外の住み替え

団地内（安佐町5丁目）には県営あさひが丘住宅があり、この県

営住宅が居住の流動性を生み出している。県営住宅に入居した子育て世帯が団地内の戸建て住宅へと住み替えたり、その反対に高齢夫婦世帯が戸建て住宅から県営住宅に住み替えたりするという例もある。更には、県営住宅に入居している子世帯と戸建て住宅の親世帯が住まいを交換するというケースもあった。団地の入居開始時から、周辺集落の世帯から子どもが独立して団地内に住まいを構えるというケースも多いという。

「高齢化が進むことで問題となるのは、団地は集落とは異なり、よそ者同士の集まりであることだ」と連合自治会会長の尾田氏は言う。周辺集落では、小さい時からお互いをよく知っているが、ニュータウンではそれがなく、つながりが薄いと考えられる。周辺集落とは自治会同士の集まりで情報交換している。

全戸アンケートの実施

尾田氏は、コープタウンあさひが丘に入居して43年目。平成24年に連合自治会長に就任した。2025年問題を見据え、自治会執行

団地内の居住の流動性を生み出している賃貸住宅（県営住宅）

部と住民の考えの間の相違点を把握し、今後のまちづくりの方向性を考えるため、平成26年に全戸配布のアンケートを実施した。回収率は概ね高く全体では82%だったものの、県営住宅からなる自治会7区のみ低かったという。

アンケート結果から見えてきた、住民が考える団地の抱える大きな問題点は、①買い物、②交通、③空き家の3つであった。

買い物環境の改善

団地内にはスーパーが1軒あるが、そこを利用する世帯は3分の1以下という状況であった。その理由は、品揃えが悪く、値段が高いためで、車を運転できる若い人たちは可部まで買い物に行ってしまうという。

高齢者や足が悪い方にとっては団地内のスーパーは不可欠であるため、スーパーを積極的に活用するよう、運動を始めている。

バス路線の維持

団地内には市内のバス会社2社がバス停を設け、安佐南区方面には平日で計約60便が走っている。しかし、マイカー利用の増加などを背景にバス利用は減少傾向で減便の検討もされていた。

アンケートではバスの減便に対する不安の声が多く、平成28年から自治会と中国運輸局が連携し、利用促進策の研究を始めたという。中国運輸局とバス会社によるバスの乗り方教室の開催や、安佐動物公園がバスを利用した来園者の入場料を割り引くなどの取り組みで、減便の対象外となるよう働きかけている。

完全空き家化に向けて

アンケートでは、「団地の住宅を住み継ぐ人がいるか」の質問に対し、「いない」が半数以上という結果となった。少子化の中で、子育て世帯に入居してもらうことはこれからの団地にとって不可欠ではある一方、「居住者がいないのに空き家ではない家」が増えてきていることが大きな問題だという。各区の自治会長も、空き家の数は把握できておらず、団地の空き家率は不明な状況である。

空き家対策のコンサルティングを行っている「一般社団法人さくらブリッジ」を講師に、終活講座－「空き家になる前、なった時の家財整理を考える」を開催した際には、会場に入りきれないほどの参加者が集まったということで、住民の関心の高さが伺える。講座では、家主が亡くなって、子や孫が遠方から遺品整理に来るのは大きな負担となるため、生前から荷物整理しておく必要性などを呼びかけた。

中古住宅のリフォーム等による若い世代の転入は一定程度あるという。民間事業者の値付けでは2,000万円以下ぐらいで若い世代の需要がありそうだとのこと。転入促進には、「完全空き家」にすることが大事だと、尾田氏は語る。更地にまですることができれば、現在でも割と早く買い手がつくという。地価は10万円／坪程度で、入居時とほぼ同程度だそうだ。

現在は、連合自治会に「まち起こし推進部」を設置し、バスや空き家問題について取り組み始めた。今後も相続や法律など、住民向けの相談会を継続していく予定だという。

バス路線を維持するため、様々な取組みが行われている

広島市が団地内に整備した市民菜園

5 空地の集合駐車場利用
地域住民による空地管理

広島県広島市安佐北区
「くすの木台団地」

【団地概要】

住所:広島県広島市安佐北区安佐町
大字くすの木台

立地:
広島市中心部より13.1km(バス40分)

完成年:
S53年(1978年)

開発面積:
37.1ha

事業手法:不明(旧安佐町農協他)

人口:2,161人 ※

計画戸数:940戸 ※

世帯数:1,011世帯 ※

高齢化率:44.1% ※

※広島市統計情報(令和2年3月)

くすの木台団地

くすの木台団地は、広島市の北端にある山間地域の集落を中心とした、安佐北区の南西端に開発された団地。中心部から北へ約13kmの立地で、新交通システム・アストラムラインの最寄り駅である大原駅から車で10分の距離。

開発面積は約37ha。開発事業者は、JA広島に合併前の安佐町農協とゼネコンの(株)鴻池組。2者が工区を分けて開発した。昭和49年10月に工事着手され昭和53年10月に工事完了。くすの木台自治会法人のHPでは、「広島の軽井沢」と紹介されている。

現在の状況

現在の人口は2,200人弱で、世帯数は1,011世帯。団地全体の高齢化率は44.1%(広島市統計情報)で、広島市の25.3%(令和2

くすの木台団地位置図

山間地を開発してつくられた、くすの木台団地のまちなみ

地域交通

生活支援

福祉サービス

交流拠点

担い手

土地・建物の流動性向上

住宅の供給

子育て支援

空地・空き家の維持管理

空地の活用

空き家の活用

エリアマネジメント

コミュニティビジネス

生活の維持、質の向上

地域コミュニティの維持・見直し

まちの魅力向上、新規住民の獲得

住環境の質の低下の抑制

街の運営・経営

27

高齢者の生活には負担が大きい急な坂道

活発に利用されている、くすの木台自治会館

年現在）よりかなり大きい。

団地内には店舗が2軒しかないため、車を運転しない世帯はバスで買い物に行く。広電バスと、第一タクシーが市の補助で運行するバスが、それぞれ1時間に1本ずつある。最寄りのスーパーは車で5分ほどの近隣の団地内に個人経営の店舗があるが、大きな店舗ではないため、多くの人は車で15分弱のところまで買い物に出ることがほとんどのようだ。

居住者の通勤先は、大半が広島市内で、交通手段は自家用車が多いが、バスの住民もいる。有料道路ができて市の中心部のアクセスは便利になったという。

空き家は今のところは少なく、管理放棄された家や庭は、あまり目につかない状況である。

管理組合・自治会

不動産・入居者情報の把握

くすの木台団地は、上下水道の自己管理を前提として分譲された団地であったため、入居と同時に管理組合が結成された。そのため管理組合では、全ての不動産・入居者の情報を把握できていたという経緯がある。上下水道を市に移管したタイミングで管理組

合は解散し、その後把握していた情報は「くすの木台宅地建物委託管理センター」（以降、管理センターという）が引き継いでいる。

くすの木台自治会

自治会は、団地全体で一つの自治会となっており、法人格を持っている。ほとんどの世帯が自治会に加入しており、未加入世帯は5世帯にも満たないとの話であった。年会費は4,000円。

自治会の主な業務は、情報誌発行である。また、団地内の公園8ヶ所の清掃を年2回行っている（日常管理は市の管轄で、草刈は年2回）。

自治会役員の任期は2年で、若

い現役世代が分担しているという。役員構成は、会長1人、副会長5人、区長10人に加え、世話役となる班長がいる。自治会の中に10の区があり、その下に班という構成。班は全部で90以上あり、1番多い班で20世帯程である。班長は半年交代制で、めぼしい人を役員に勧誘しているそうだ。子供会はまだ残って活動している。周辺団地はなくなったところが多いという。

自治会の行事は、毎年11月に開催するコミュニティ祭。市の集会所と周りの空地を利用し、道路の使用許可も取って、住民グループが出店している。また、午前・午後に1回ずつ神楽の舞もあり、

空地は存在するものの、管理は行き届いている土地が多い

世代関係なく喜んでもらえているそうだ。コミュニティ祭りの準備は、有線放送で呼びかけて、住民全員に手伝ってもらっているという。

住民の入れ替わり

住民の変化としては、働き盛りの中間世代の転居が多いようだ。ただし空きが出ても、現在でも不動産業者が入居募集のチラシを出すと、比較的すぐに次の入居者が見つかる状況が続いている。新規住民の年代は、若年世帯から退職後の高齢者等まで幅広いといい、元々土地を購入して寝かせていた人が退職後に家を建てて移ってくる例や、親が子を呼び寄せて二世帯住宅とするような例もあるという。

子どもは非常に少なく、20人程度ではないかという。周辺団地と比べても、くすの木台団地が顕著に少ないようだ。子供育成会が防犯のために子どもを無闇に出歩かせないよう指導しているということで、少なさと相まって団地内で子どもを見かけることはほ

とんどないという。

空地・空き家

駐車場管理の取り組み

団地入居後に一番問題となったのは、各敷地1台の駐車スペースしかなかったことによる、前面道路への路上駐車だったという。

そこで、空地の所有者に働きかけ、共同駐車場として活用する取り組みを始めた。前述の管理組合の存在により、空地の所有者情報が把握できていたことが功を奏した。

現在、管理センターが管理している駐車場は45ヶ所（敷地）で、駐車場の月額利用料は2,500円としている。1ヶ所当りの管理費は半年5,000円で、残りが土地所有者の収入となるが、固定資産税分には届かない金額という。駐車場の稼働率は4割程度だが、路上駐車に対して、駐車場を使ってくださいとお願いすることはあるものの、積極的に営業を掛けることはないという。最近では、空地は新規入居者の建設により減少傾向にあるようだ。

管理組合が管理センターに移行したことにより、自治会とは完全に別組織となったため、管理センターの駐車場管理収入に対し自治会から干渉することはないという。

管理センターの抱えている現在の課題は、管理地の草刈りだという。委託していた業者も高齢で廃業し、その後引き継いだ老人会も厳しい年齢になってきており、地域全体の高齢化の影響がじわりじわりと出始めているようだ。

空き家の状況

空き家は現在のところは少ない。植栽が放置されたような管理放棄空き家はほとんどなく、97%程は管理できているのではないかという。

所有者が使わなくなった家を借家などにして人に貸すというケースはほとんど聞かないようだ。また、空き家の活用ニーズというのも今のところはなく、交流スペースなどの機能も自治会所有の自治会館や、市の集会所などで事足りている状況だという。

空地を共同駐車場として活用

管理センターによる土地・建物情報の把握

充足しているという集会所施設

地域交通
生活支援
福祉サービス
交流拠点
担い手
土地・建物の流動性向上
住宅の供給
子育て支援
空地・空き家の維持管理
空地の活用
空き家の活用
エリアマネージメント
コミュニティビジネス

生活の維持、質の向上
地域コミュニティの維持・見直し
まちの魅力向上、新規住民の獲得
住環境の質の低下の抑制
街の運営・経営

6 地域支え合いの居場所づくり
ら・ふぃっとHOUSE

広島県広島市佐伯区
「美鈴が丘団地」

【団地概要】

住所:佐伯区美鈴が丘西 1〜5 丁目、美鈴が丘南 1〜4 丁目、美鈴が丘東 1〜5 丁目、美鈴が丘緑 1〜3 丁目

立地:
広島市中心部より7.0km(バス 30 分)

完成年:
S61 年(1986 年)

開発面積:
142.1ha

事業手法:開発許可(三井不動産)

計画戸数:不明

人口:9,650 人 ※

世帯数:4,117 世帯 ※

高齢化率:40.5% ※
※広島市統計情報(令和 2 年 3 月)

美鈴が丘団地位置図

美鈴が丘団地

　美鈴が丘団地は、広島市佐伯区の東端に位置し、四方を鈴ヶ峰・鬼ヶ城山などの山々に囲まれた土地を盛土・切土の大造成でできた団地。単独事業者が開発した団地としては西日本最大規模(約140ha)。海抜が 100〜200mと、団地内の高低差が 100mある。

　広島市の中心部からは真西方向に 7.0km ほどで、バスで 30 分程度、電車は広島電鉄宮島線草津南駅から車で5〜6分の距離。

　開発事業者は三井不動産(株)中国支店で、昭和 43 年に事業を開始、昭和 53 年に最初の入居が始まり、昭和 61 年に竣工、平成 6 年までに2 期 4 街区(東街区・西街区・南街区・緑街区)に分け

周囲の山並みが見える地区内幹線道路からの景観

30

専門店街としてつくられた美鈴モール商店街

美鈴モールの端に位置する神社

て販売された。

現在の状況

現在の人口は約 9,700 人で、世帯数は約 4,100 世帯。団地全体の高齢化率は 40.5%（広島市統計情報）で、広島市の 25.3%（令和 2 年現在）と比べると高くなっている。人口のピークは平成 5 年の 12,215 人で、団地人口は減少傾向にある。町内会は全部で 17 あり、加入率はおおよそ 80% 台の後半だという。

団地中央の美鈴が丘中央公園に隣接し、美鈴モール商店街の専門店街やスーパー、公民館、銀行、郵便局などの生活利便施設が集約配置された計画となっている。スーパーは、以前に一度閉店してしまったことがあり、その後参入してきてくれた店舗に関しては、積極的に活用しようと呼びかけているという。商店街も店主が高齢になって店をたたみシャッター街化し始めたが、それでは寂しいと店先で毎月第一土曜日に「土曜楽市」を始めた。

一方で、佐伯区による調査では「日常の買い物の利便性」に対する不満度が高くなっており、団地の規模・高低差、住民の高齢化などにより、センター核だけでは住民の生活に不便が生じていることがわかる。

市内中心部のバスセンターまで、以前は 10 分おきにバスが走っていたが、現在は減便されて 20 分おきになっている。

住民の入れ替わり

空地・空き家は意外と少なく、若い世代も含め、新規の流入もそれなりにあるようだ。

団地住民の親世帯の近くに子世帯が転居してくる近居も進んでいるという。親世帯の近くの小学校区に引っ越すと補助金が出る広島市の制度もそれを後押ししている。子どもが戻ってくるタイミングを機に、建て替えて二世帯住宅とする例も多い。

急な坂道の多い団地内道路

スーパーの存続は地域住民の死活問題

生活利便施設が集約配置されているタウンセンター

生活の維持、質の向上

地域交通　生活支援　福祉サービス　交流拠点　担い手

地域コミュニティの維持・見直し

まちの魅力向上、新規住民の獲得

土地・建物の流動性向上　住宅の供給　子育て支援

住環境の質の低下の抑制

空地・空き家の維持管理　空地の活用　空き家の活用

街の運営・経営

エリアマネージメント　コミュニティビジネス

空き店舗を活用した移転後のら・ふぃっとHOUSE

美鈴が丘は幼稚園・小学校・中学校・高等学校が揃っていて教育環境が良いため、子育て世代には訴求力があるようだ。

ら・ふぃっとHOUSE

取り組みの経緯

「ら・ふぃっとHOUSE」は、NPO悠々自在が、地域のボランティアと共に創るコミュニティ・スペースである。

きっかけは、住民9人ほどの友達グループの「歳を取った時、このままだったら困るね。何かあったらいいね。たまにはいつもと違うところでご飯が食べたいよね。」

という会話から始まった。

同時期に、地域の福祉事業者であるNPO悠々自在が、介護や福祉という枠を越えた人と人がつながる地域づくりを行いたいとの思いから、新規にグループホーム用地探しを行っており、この2つの流れが合わさり、一緒に取り組みを始めることになったという。

場所探しからスタートしたものの、なかなか良い物件は見つからず、並行して「土曜楽市」（当時は土曜朝市）に、「Cafe 悠々」を出店することから始め、立ち上げ資金の調達を進めたという。

一番目の拠点

NPO悠々自在の理事長が、町内会の役員をしていたことから、役員会や行事の案内を配る活動などを通じて、空き家の情報を集め、最初に見つけた拠点では、落ち葉や木の管理を行うことを条件に月1万円という格安の家賃で借りられることになったという。

5年間空き家だった住宅を清掃し、トイレのドアの付け替えや、食堂運営のため保健所の指導を受けて最低限の改修をした。備品のほとんどは、地域の人に譲ってもらったり、作ってもらったり

ら・ふぃっとHOUSEの看板

取組みが評価された厚労省からの表彰状

様々なイベント情報が貼り付けられた掲示板

することで新たなつながりも生まれたという。

　最初は、台と牌だけあればできる「わいわい健康麻雀」から始め、子育ての悩みを打ち明けられる「おやこ de カフェ」や、単身高齢者も気軽に集まれる「おしゃべり食堂」、社協とNPOがコラボした「プラチナサロン輝・百歳体操」など取り組みを拡げていった。

　ところが家主から団地に戻りたいため、退去して欲しいとの要望があり、現在の拠点に移ったのが平成29年の秋のことである。

二番目の拠点

　移転先を探し、閉店時期がちょうど重なった元スーパーの空き店舗に入居した。一件目と比べ家賃は相当高くなってしまったというが、広い一体的な空間を確保できた。元魚屋と肉屋であったスペースは、調理場としてそのまま活用し、バックヤードの保存庫や業務用冷蔵庫も居抜きで活用しているのだという。

運営について

　ら・ふぃっとHOUSEの「ら・ふぃっと」とはフランス語で、「お隣さん」を意味し、運営理念を込めて命名したというが、今では地域に浸透してきた。

　人件費は基本的にかかっていない。約50人のボランティアが逆に年会費3,000円を払って、月1回手伝ってくれているという。最初は地域活動のつながりを通して集めたが、現在は友達が友達を連れてくる形になっている。60代後半の前期高齢者が最も多く、

気軽に集えるおしゃべり食堂

「おしゃべり食堂」のワンコインランチ

ランチは地域のボランティアによる調理

生活の維持、質の向上

地域コミュニティの維持・見直し

まちの魅力向上、新規住民の獲得

住環境の質の低下の抑制

街の運営・経営

地域交通

生活支援

福祉サービス

交流拠点

担い手

土地・建物の流動性向上

住宅の供給

子育て支援

空地・空き家の維持管理

空地の活用

空き家の活用

エリアマネージメント

コミュニティビジネス

広島市が実施しているポイント事業

男性は 10 名ほど。

　毎週水曜日は「おしゃべり食堂」として 500 円ランチを提供している。NPOなので、赤字が出なければよいというスタンスで経営しているそうだ。

「お助け隊」

　ら・ふぃっとHOUSEをきっかけとして展開した活動もある。ら・ふぃっとHOUSEを通じて友達になった男性のグループが「お助け隊」を結成したのだという。地域包括支援センターを経由した活動として、要支援者などを対象に、植木の管理などをサポートしている。メンバー自身が高齢なため、あと 3 年ぐらいかと言いながらも精力的に活動しているという。

その他の取組み

りんりんタクシー

　美鈴が丘団地は、広範囲で坂道が多く、団地内を移動できる新たな生活交通の確保が課題となっているため、美鈴が丘まちづくり協議会や美鈴が丘連合町内会、交通事業者及び広島市等で構成する「美鈴が丘巡回乗合タクシー運営委員会」を設立した。地域が主体となって、団地内を巡回する乗合タクシーの導入について検討してきた結果、実験運行を経て、平成 28 年から本格運行を開始している。名称は公募の結果、「りんりんタクシー」となった。

　月水金の週 3 回ジャンボタクシー（定員 10 名）を走らせており、運賃は中学生以上が 200 円（当日再乗車の場合 100 円）、小学生が 100 円（保護者同伴及び当日再乗車の場合 無料）で、1 日当たり 45 人前後の利用があるのだという。

　団地から双葉タクシー（(株)エフ・ジー）に声を掛けて、市とタクシー会社に提携してもらい、団地（美鈴が丘巡回乗合タクシー運営委員会）が実施主体として運営を行う形になっているが、現在のところは赤字となっている。

地域の見守り活動

　佐伯区には民生委員児童員協議会という組織があり、「近所に近助」を合い言葉に、洗濯物干しやゴミ出しなどを通してなんとなく見守りが生まれるような活動をしている。ら・ふぃっとHOUSEに来る高齢者は単身者が多く、毎週来ている人が来なかったら声を掛けにいったり電話をしたりと、地域による緩やかな見守り活動につながっている。

地域通貨の検討

　広島市では 70 歳以上を対象として「いきいきポイント」という制度をつくっている。1 日 1 回イベント等に出かければ 1 ポイント 100 円として使えるポイントがもらえるというもの。その他、登下校の見守りや子供スペースの手伝いなどでも 4 ポイントもらえるなど様々なメニューがあるという。このポイントは、ら・ふぃっとHOUSEでも使える。

ハンドメイド品の展示販売コーナー

りんりんタクシーの案内

りんりんタクシー存続のための募金箱

ランチは地域のボランティアによる調理

　制度的な限界はあるものの、ラジオ体操への参加率があがったなど、市の社会保険負担軽減への効果はある程度あるようだ。まちづくり協議会でもこのような地域通貨が美鈴が丘団地でつくれないか検討しているという。

今後に向けて

　「活動の原点は、「自分たちが助けて欲しい年代になった時に、こういうものがあって欲しい」という気持ちなので、少しずつ若いスタッフに世代交代をしながら続けていきたい。これは美鈴が丘のまちづくり全体にも言えること。」と、まちづくり協議会の会長でら・ふぃっとHOUSEの運営にも関わる松尾氏は語る。

　今後の課題としては、３年限定の広島市の補助金がなくなった後の継続性だという。いかに補助金頼みから脱却した事業の組み立てを考えられるか。これは美鈴が丘だけでなく他の団地にも言えることなのだろう。

モールに設置されたギャラリーのショーケース

町内運動会の案内ポスター

地域交通　生活支援　福祉サービス　交流拠点　担い手

生活の維持、質の向上

地域コミュニティの維持・見直し

まちの魅力向上、新規住民の獲得

土地・建物の流動性向上　住宅の供給　子育て支援

空地・空家の維持管理　空地の活用　空き家の活用　エリアマネージメント　コミュニティビジネス

住環境の質の低下の抑制

街の運営・経営

美鈴モール商店街　奥にはイベント広場と、平成2年に創建された美鈴神社がある

【団地概要】
住所:佐伯区美鈴が丘西 1～5 丁目、
美鈴が丘南 1～4 丁目、美鈴が丘東
1～5 丁目、美鈴が丘緑 1～3 丁目
立地:
広島市中心部より 7.0km(バス 30 分)
完成年:
S61 年(1986 年)
開発面積:
142.1ha
事業手法:開発許可(三井不動産)
計画戸数:不明
人口:9,650 人 ※
世帯数:4,117 世帯 ※
高齢化率:40.5% ※
※広島市統計情報(令和 2 年 3 月)

美鈴が丘団地位置図

事業者から見た 美鈴が丘団地の特性

　事例 6 でも紹介した美鈴が丘団地は平成 30 年で、昭和 53 年の入居開始から 40 周年を迎えた。丘陵斜面地に開発されたため坂道が多く、車による移動が多い中で、市内の他の団地に比べて道路が広いことが、高齢者等の生活の安心につながっているという。

　町内会加入率が高く、コミュニティ活動が活発である。子供会がなくなった時も、町内会子供育成部がつくられ、代替している。また、保育園から高校までが団地内にあるため、子供達は保育園から中学までを一緒に過ごすことが多く、親同士のつながりも強くなるようだ。

　市内へのアクセスは良く、住み心地は良いようで、近年では近隣にアウトレットが出来たことも注目を集めている。団地の人口は増えていないが、親元を離れた子供世代が空き家を取得し近居する例が見られ、女性を中心に若い世代が帰ってくる団地であるという。事業者から見ても、美鈴が丘団地には、街への愛着が深い方が多いと感じるそうだ。

Re:倶楽部美鈴が丘

　美鈴が丘団地の開発事業者である三井不動産(株)は、団地完成(昭和 61 年)以降、20 年程は団地へ関与していない状態であったが、8～9 年前から美鈴モール商店街に Re:倶楽部美鈴が丘を開設し、三井不動産リアルティ中国(株)がリハウス(仲介)及びリパーク(駐車場)事業を担当し、三井ホーム(株)がリフォーム工事(三井のリフォーム美鈴ヶ丘)を担当している。事務所開設時にチラシを全戸配布し、同じ担当者が

8年間継続して事務所に勤めたこともあり、三井の事務所の存在や取り組みは団地内に広く認知されているようだ。

住宅リフォームの促進

リフォームの実情

既存住宅の多くが旧耐震基準であるため住宅ローンがつきにくく、耐震改修を伴うリフォームを行うと高額になること、また、間取りが古く、今の30～40代の居住ニーズに合致しないこと、駐車場が1台分しかないことなどから、古い住宅は建て替えを選択し、庭を潰して2～3台分の駐車場を確保するケースが多いようである。

元々、美鈴が丘団地の約4,100戸のうち、三井ホームの手掛けた住宅は注文住宅（木造2×4工法）を主体とした4分の1程度であり、三井ホームの2×4工法住宅については、旧耐震基準のものでも現行の耐震性能をほぼ満たしているため、耐震改修コストは掛からない。

現在、美鈴が丘団地の新築分譲住宅（土地・建物含む）は3,500万円～4,000万円程度。中古住宅（土地・建物含む）は2,000万円～3,000万円程度で、若い世代の一次取得に適している。土地単体では1,400～1,500万円程度。

三井ホームが美鈴が丘団地で手掛けている新築は年間4～5棟、リフォームは10～20棟、うち中古住宅の購入に合わせたリフォームは年間2～3棟程度とのこと。空白期間があったこともあり、団地内の仲介やリフォームのシェアは4割程度という。

リフォーム工事業者が高齢化して廃業する例も多く、将来的な担い手の確保が課題のようだ。

リフォームイベントの開催

Re:倶楽部美鈴が丘では四半期ごとにリフォームイベントを開催しており、キャンペーン、相談会、税務相談などを行っている。

以前は、美鈴モール商店街近くの空き家を改修し、リフォーム体験館（モデル住宅）として利用していたが、現在は売却済。

その他、相続した住宅の火災保険についての相談や空き家の管理についての相談等も受けている。

メンテナンスプログラム

三井ホームには30年のメンテナンスのプログラムがあるとのことで、5年毎の定期点検は無償

美鈴モール商店街の入口にあるRe:倶楽部美鈴が丘　　目の前にはバス停があり、立ち寄りやすい立地

地域交通
生活支援
福祉サービス
交流拠点
担い手
土地・建物の流動性向上
住宅の供給
子育て支援
空地・空き家の維持管理
空地の活用
空き家の活用
エリアマネージメント
コミュニティビジネス

生活の維持、質の向上
地域コミュニティの維持・見直し
まちの魅力向上、新規住民の獲得
住環境の質の低下の抑制
街の運営・経営

地域に開放されている Re:倶楽部美鈴が丘のミーティング・コーナー

コーヒーやお茶が飲めるキッチン

リハウス・リパーク・リフォームの資料

で行っており、メンテナンスを通じた相談なども生じている。

空き家の流通を促進する取り組み

ハウスメーカー10社で構成する（一社）優良ストック住宅推進協議会「スムストック」では、三井ホームの築30年級の住宅で、インスペクション（住宅診断）と適切なリフォームを施したものに1,100万円程度の査定が可能。

美鈴が丘団地の三井ホーム以外の住宅については、三井不動産リアルティ中国が個別にインスペクションを行っているが、中古住宅の査定にはつながっていない点は今後の課題であるようだ。

空き家情報の把握

現在のところ、美鈴が丘団地は空き家が発生しても買い手がつきやすい団地と認識されており、空き家には積極的に売却を呼びかけているそうだ。

空き家情報は、地域との関わりを通じて得られる情報や、団地内を定期的に巡回しており、外観や設備の状況などから把握してお

り、空き家に見える住宅でも、近隣の住民が時々風を通しに通っている場合や、リフォーム後に住まない場合も見られるようだ。

地域活動の場の提供

コミュニティ活動の促進

Re:倶楽部美鈴が丘のスペースは、地域の活動に無償で貸し出されている。1階のミーティング・コーナーやキッチンは、俳句の会、折り紙の会、フラワーアレンジメントの会、ハーブの会、ベビーマッサージの会などの趣味の活動や子供のクリスマス会が利用しており、活動で製作した作品を展示するスペースもある。2階は日舞の練習にも活用されており、現在は週1～2回程度の利用があり、公民館を補完する役割を果たしている。運用当初はら・ふぃっとHOUSE（事例6）との競合になることも懸念されたが、ら・ふぃっとHOUSEはまちづくり協議会や町内会等の人的ネットワークで利用者の年齢層も高く、利用者の特性が重なっていないように見受けられ、大きな問

題は生じていないという。

フリースペースの提供

これら事前予約制での利用のほか、ミーティング・コーナーはコーヒーやお茶が飲めるスペースとしても開放している。バス停前ということもあって立ち寄る住民も多く、商店街の役員で頻繁に訪れる方もいるそうだ。

団地見回りサービス

空き家の所有者に対しては、庭木のメンテナンスについての告知を行っている。

団地内の巡回に際し、また、庭の水やりやガラスなど家屋の破損を確認して空き家の所有者に知らせる「団地見回りサービス」も行っている（平成31年現在5棟）。ただし、業務として有償化した場合、責任が発生することや事業の成立性についての懸念があったため、現時点では事業化は想定していないという。

おたすけ隊

団地見回りサービスの他、おた

すけ隊として、家具の移動や電球の交換など、お困りごとの無償サポートを行っている。依頼する住民からは、ワンコインでも良いので、有償の方が頼みやすいとの声も聞かれるようだ。

地域イベントの支援

美鈴楽市

美鈴モール商店街で毎月第4土曜に開催される朝市「美鈴楽市」に参加しており、事務局も担当している。美鈴楽市では、リフォーム相談会、網戸の張替えや電球交換などのよろず相談などを行っている。

美鈴楽市は9時〜11時で、30〜40店舗が出店。商店街以外の出店者が20店舗程度あり、美鈴楽市をきっかけとして空き店舗に出店したケースが4店舗ある。来場者は概ね500〜600人前後で、多い時には1,000人に達することもある。取り組みは現在8年目で、無理をせず、10年継続することを目標としており、美鈴モール

商店街に来て貰うことを目的としているという。

美鈴サマーフェスタ

年1回開催される音楽祭で、地域の音楽愛好家やダンスサークル等によるパフォーマンスが行われる。舞台となる美鈴モール商店街のステージは、三井不動産が寄贈したものとのこと。

郊外住宅団地の再生に向けて

民間事業者の役割

ビジネスに直結しないサービスの無償提供や、イベントへの支援を行っている理由として、まずは存在を知ってもらい、地域の相談相手になれることを重要視しているという。

行政に期待する役割

広島市からは、郊外住宅団地の再生に民間企業が事業を通して活躍することが期待されていると考えている。行政に期待する役

割として、直接的な補助金には限界があるため、良い取り組みの表彰や紹介を行政が行うことで、企業のイメージアップや広報にも役立ち、間接的なバックアップになるという。

また、法務局で空き家の所有者を調べても、連絡先が県外や不明であるケースがあり、行政が固定資産税の徴収などで連絡先を把握している場合には、空き家の状態などの情報を送ることで、空き家の流通を促進させる効果が期待できる可能性の指摘もあった。

住宅団地間の交流促進

学区が異なることもあり、近隣の郊外住宅団地との交流はあまり盛んではない様子で、商店街の相互利用やイベント等の協働など、一体的な活動を促せると、住宅団地の賑わいも増し、施設利用効率も向上するとも考えられる。

Re：倶楽部美鈴が丘内の地域活動の展示スペース

8 宅地面積の2戸1化による未分譲宅地の解消

広島県広島市安佐北区
「桐陽台団地」

【団地概要】

住所:安佐北区三入東1〜2丁目

立地:
広島市中心部より17.5km(バス55分)

完成年:
H3年(1991年)

開発面積:
87.8ha

事業手法:不明(有楽土地、2008年よりトータテハウジングが一部再分譲)

計画戸数:1,751戸

人口:4,286人 ※

世帯数:1,744世帯 ※

高齢化率:32.0% ※

※広島市統計情報(令和2年3月)

桐陽台団地位置図

2戸1宅地の再分譲

取り組みの経緯

　桐陽台団地は、有楽土地(株)(現:大成有楽不動産(株))が開発した分譲住宅団地。新築分譲住宅(土地・建物含む)は4,000万円程度が開発当初の相場であった。バブル期であったため、工事費が高騰して造成に時間がかかった。バブル後の販売に苦戦した郊外住宅団地は多いという。残っていた団地北側の250〜300区画を平成13〜14年頃に(株)トータテハウジングが取得した。

　平成26年に団地内の市立中学校・高校を再編した中高一貫校が開校し、市中心部からも生徒が通学する学校に生まれ変わり、子育て世代の注目を集めている。

敷地面積の拡大による再分譲

　当時、北九州郊外の岡垣ふる里どんぐり村(福岡県遠賀郡岡垣町松ケ台/430戸/辰巳開発(株))が、宅地面積を大きく確保(80〜120坪)し、森と緑やコミュニティとの共生を重視した開発として人気を呼んでいたこともあり、2戸1宅地化により敷地面積360㎡を確保した「360庭園の街、桐陽台」として再分譲が行われた。

南側敷地の別棟・菜園・ソーラー利用

南側敷地の駐車場・倉庫利用

40

2戸1宅地により確保されるゆったりとした隣棟間隔

一般宅地と同様の北側景観

植栽の管理が行き届かない一部の敷地

　南北2宅地をセットにし、北側区画に建売住宅を建て、2,800〜3,000万円で販売された。当時としては高めの価格であったが、最初の10区画は即月完売であり、そのうち半数は桐陽台団地内での住み替えであったという。4〜5年で年間60区画を分譲する計画で、実質4年で完売となった。同時購入により安価に用地を取得できたため、大型区画も土地取得費を上乗せした程度の価格設定であったという。

建築範囲のコントロール

　建売としたことで、北側宅地への住宅が集約可能となり、南側宅地にはゆったりと空間が確保されている。南側宅地には、将来離れなどをつくることが出来るものとしている。また、植栽は管理

がハードルとなるため、統一外構の整備や、建築協定や地区計画等の景観を誘導する規定を設けることは見送られた。このため、当初のコンセプトであった森のような住宅地までは実現できなかったという。

団地の再生に向けて
行政に期待する役割

　開発事業者によると、地域活動の核となるコミュニティセンター（公民館）の管理を充実させることは、住宅団地の空洞化を防ぐ上で有効と考えられるという。

　また、子育て世代が郊外住宅団地への住み替えを検討する上で、街としての防犯性は大きな指標の一つであるようだ。街灯等の生活インフラを適切に管理することは、若い世代を呼び込むための

必要条件であるという。

　広島では斜面地の多い郊外での土砂災害リスクの高い地域もあり、近年の豪雨災害で被災した例もあることから、地域コミュニティによる防災活動を支援する仕組みも重要であるという。

郊外の長所

　桐陽台で取り組んだ大型宅地化は、今後も都心部では実現が難しい郊外の強みと考えられ、チャンスがあれば取り組みたいという。平屋のニーズが高まっていることもあり、民間事業者として地域コミュニティや行政との連携を深めつつ、ストックの集積する住宅団地再生にビジネスチャンスを見出すことが課題とされ、様々な可能性を模索しているようだ。

団地内幹線沿道

斜面に位置する団地内の一般宅地

畑として利用された空地

地域交通
生活支援
福祉サービス
交流拠点
担い手
土地・建物の流動性向上
住宅の供給
子育て支援
空地・空き家の維持管理
空地の活用
空き家の活用
エリアマネジメント
コミュニティビジネス

生活の維持、質の向上
地域コミュニティの維持・見直し
まちの魅力向上、新規住民の獲得
住環境の質の低下の抑制
街の運営・経営

広島郊外住宅団地ネットワークの設立経緯と今日的意味

県立広島大学名誉教授　間野 博

1. そもそもの発想

　住宅団地再生が都市政策課題になって久しい。研究課題から実践課題として取り組まれたのは2000年発足の「団地再生研究会」「団地再生産業協議会」からであろう。

　2005年には、国土交通省「計画開発住宅市街地の再生に向けて－提言」、2007年からは国土交通省「エリアマネジメントの支援」（情報提供）開始、2010年内閣官房地域活性化統合事務局「ふるさと団地の元気創造推進協議会」（7市）設立と国の取り組みも始まっていた。

　しかし、これでいいのかというのがそもそもの発想だった。首都圏中心、集合住宅団地中心、産業界・行政側の視点、などが気になっていた。

2. 地方都市の郊外住宅団地の課題

　郊外住宅団地は高度経済成長時代に全国各地に大量に作られた。その多くは民間ディベロッパーによる戸建て住宅団地である。

　そしてそれらは、当時の「住宅すごろく」の「上がり」だった。まちなかのアパート暮らしからスタートし、だんだんステップアップし、「郊外団地の一戸建て住宅」に住むことは、サラリーマンの憧れであり、目標だった。

　自然に囲まれ、道路・公園が整い、おしゃれな商業施設があり、学校・郵便局・医院など各種生活サービス施設が計画的に整備された、最もレベルの高い住宅地だった。

　しかし、時代が高度成長から「安定成長」「停滞」へと移行する中で、①人口減少＝住宅需要の低下、②地球環境問題等を背景とした開発制限の潮流、③これらを背景とした「コンパクトシティ政策」＝郊外化抑制、④これらを要因とした「地価低迷」＝資産としての意味が低下、⑤郊外大規模ショッピングセンターなどによる買い物行動の変化、などが生じた。

　こうした社会の変化は郊外住宅団地に多くの問題をもたらした。

　①一斉に高齢化し、②子ども世代が流出し、③アンバランスな年齢構成となり、④住民が減少し、⑤空き家が増加した。

　これに伴い、⑥公共交通（バス）サービスの低下、⑦コミュニティの低迷、⑧商業施設・医療施設の撤退、⑨児童数激減・学校の統廃合、などの問題が生じた。

　これらに対する課題は、ほとんどの郊外住宅団地で共通の課題である。

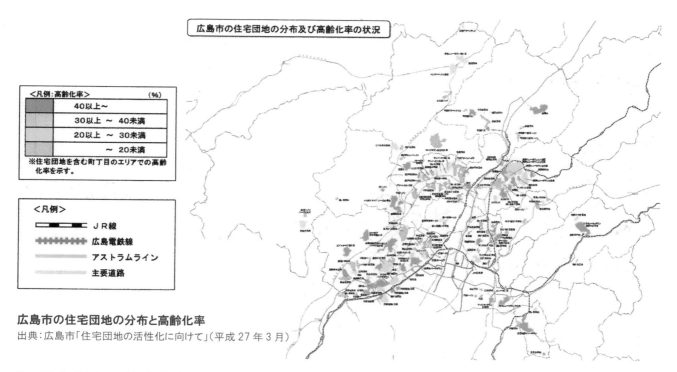

広島市の住宅団地の分布と高齢化率
出典：広島市「住宅団地の活性化に向けて」（平成27年3月）

3. 地方都市の郊外住宅団地再生特有の課題とその対応策

　課題解決のために、どうすればいいのか？

　住宅団地再生の最初の動きは、首都圏に多い、公的賃貸住宅団地であった。供給管理主体が「公」であるから、自らに再生の責任がある。集合住宅が多いので、「建替え」や再開発的解決策となる。

　しかし、地方都市の郊外住宅団地は、ほぼ戸建て民間持家なので、再開発的解決策は困難である。

　基本的に、戸建て民間持家居住者が「自助」で対応するか、住民団体（自治会など）が「共助」で対応するか、「公」に求めるしかない。

　いずれにしても「公」の関与が必要だが、「公」は自ら政策課題と位置づけた場合は財政支出を含め「関与」するが、それで十分、住民の課題に応えられるとは限らない。その場合は住民がまず「市民」として要求し、さらに「県民」、「国民」として要求していかねばならない。特に、日本では私的財産に、税金を含め、公的支援を行うことに前向きではない中で、私的財産の集積地である郊外住宅団地の再生には、ここに手を付けざるを得ないと思われる。

　即ち、郊外住宅団地の再生には、①個々の団地での住民主体の取り組みと、②団地相互の情報共有・協力と、③公的支援を得るためのロビー活動が必要である。

4. 広島郊外住宅団地ネットワークの設立

　広島は地方中核都市で、その都市圏には言うまでもなく、多くの郊外住宅団地があり、今も開発が続いている。その中で、ここで問題の対象となる古い郊外住宅団地（1984年以前開発完了＝約35年以上経っている）は以下の通り。

5ha〜20ha	82団地
20ha以上	24団地
計	106団地

　これらを横につなげようというのが「広島郊外住宅団地ネットワーク」である。

　広島では、2005年「団地再生シンポジウム」（都市住宅学会中国・四国支部主催）、2008年「第3回地方シンクタンク・ワークショップー地方都市における郊外戸建て住宅団地の再生」（NIRA・地方シンクタンク協議会中国・四国ブロック）、2008年「都市郊外団地の再生に向けた方策検討調査」（（財）ちゅうごく産業創造センター）と一連の動きがあり、機は熟していた。

2010.11.21「広島郊外住宅団地サミット-Ⅰ」を開催。①問題提起「郊外住宅団地を取り巻く現状と課題」、②報告「広島地区における郊外住宅団地問題の現状」に続いて、5団地から報告を受け、意見交換の上、「広島郊外住宅団地ネットワーク」立ち上げの呼びかけを行った。気運づくりの第一歩である。

翌年、2011.9.27「広島郊外住宅団地サミット-Ⅱ－ワークショップ」を開催。9団地の住民60名によるワークショップを行った。コミュニティ／生活関連施設／交通・移動／生活福祉／住宅の5つのテーマ別にグループ討論の結果、個々の団地ではさまざまな取り組みが行われているが、団地相互では知らない人が多く、また、共通の課題や悩みも多いことがわかり、より多くの団地が結集し、「広島郊外住宅団地ネットワーク」結成を目指すことになった。

その後、1団地を加えた10団地で、ネットワーク設立に向けて準備を始めた。設立の目的／会員／繋ぐツール／規約案等の議論を重ね、2012.3.13「広島郊外住宅団地ネットワーク」が設立された。

5.「広島郊外住宅団地ネットワーク」とは

1）目的
　郊外住宅団地の活性化を目指す団地住民同士が横のつながりを築き、その輪を広げ、郊外住宅団地の活性化を推進する

2）活動内容
　①団地相互の情報交換
　②会員の意見・提案等の発表とコメント交換
　③ネットワークとしての取り組みの配信
　④団地の課題解決のための取り組み
　⑤社会への情報発信
　⑥住民の取り組みについての相互協力
　⑦団地住民相互の交流
　このうち、①～③はメーリングリストによって、④～⑦は具体的活動という形で実施することと

した。

代表・副代表は団地代表、事務局は研究者4名で構成した。

「広島郊外住宅団地ネットワーク」の新聞記事

6. 「広島郊外住宅団地ネットワーク」のその後

設立後の日常的な活動としては、次のようなものがある。

1）メーリングリストの運用：①事務局からのお知らせ、②団地ニュースの転載、③出来事の報告、④これらへの意見、感想、など。

2）事務局会議：月1回

3）意見交換会（懇親会）：ネットワーク会員に限らず、門戸を広げて呼びかけ

4）見学会：会員の団地を中心に、案内してもらい、その後意見交換

5）事例ヒアリング：新しい取り組みをキャッチし、会員に報告

社会への発信として、2012.12.4 都市住宅学会と共催でシンポジウム「郊外住宅団地問題にお困りの方、大集合－様々な担い手との協力・連携を考える－」を開催したほか、テレビへの出演、報道機関への協力などを行ってきている。

2013年6月に広島を離れて以来、詳しいことは把握していないが、2か月に1回は主要メンバーが集まっているようである。

7. 今後の淡い期待

当初の目論見であった、広島市の主要団地の連合組織＋効き目のある政策提言団体には程遠い現状である。その要因には、①メーリングリストによる情報網の限界、②多忙・若手サポーター不足などによるフットワークの弱さ、③活動資金の確保：助成金頼みの限界、④活動拠点の限界、などが考えられる。

一方、全国各地の個々の団地で先進的取り組みは進み、その情報は簡単に手に入るようになり、国や自治体も支援の取り組みを進めている。

しかし、ずっとこの路線でいいのだろうか？

社会を動かすのは、同じ立場の人々の結集した団体であることは間違いない。そのうち、この「広島郊外住宅団地ネットワーク」の経験を生かす時が来るのではないかと、ひそかに期待している。

広島市佐伯区毘沙門台団地

広島市安佐北区くすの木台団地

広島市安佐北区高陽ニュータウン

広島市安芸区矢野ニュータウン

広島市佐伯区美鈴が丘団地

column

ＮＰＯによる
空き家マネージメントの試み
― 広島県旧湯来町地域における実践と課題 ―

山にいだかれる杉並台団地のまちなみ

取り組みの経緯

　湯来町は広島市西部に存在した町で、平成17年に広島市と合併し、佐伯区に編入された。「ＮＰＯ湯来里守機構」は、旧湯来町地域の空き家や遊休農地の維持管理を行うことを目的に、平成25年に設立された団体である。

　市場に流通せず、交流拠点等の他用途にも活用できない大多数の空き家をどうするか、という問題意識のもと、月に1回、所有者に代わって空き家に風や水を通し、雨漏りなどの劣化の点検を行うサービスを、月3,000円、年間36,000円で提案した。しかし、固定資産税が廉価な地域での費用負担はハードルが高く、申込みは2件に留まり、数年間サービスを提供した後、現在は2件とも売却されている。

広島県広島市佐伯区の旧湯来町地域
杉並台団地等は都心より15〜20km圏

取り組みを踏まえた課題と展望

　ＮＰＯ創設には旧湯来町地域出身のメンバーが中心となり、空き家の維持管理体制は構築されたものの、現在は事業継続されていない状況となっている。大きな課題として、空き家所有者の意識とのズレがあり、事業化は容易ではないことがうかがわれる。

　また、住宅団地以上に周辺集落の空洞化も深刻化しており、低密に暮らす価値観の再発見が望まれるという。

未分譲宅地によりのびのびと空間が広がる魚切ハイツ・ハーブヒルズ

第 2 章

コミュニティの活性化・地域の魅力づくりの取り組み

郊外住宅団地の活性化の手がかりとしての取り組み事例

本章では、既存の郊外住宅団地における取り組みに限定せず、時代の変化や、それに伴うライフスタイルやニーズの多様化に対応して新しい場やサービスを提供し、コミュニティの活性化や地域の魅力向上に取り組んでいる事例を取り上げる。

郊外住宅団地の活性化の手がかりとなるエッセンスを探り出すことを目的として、5つの意欲的な事例を紹介する。以下、それぞれの取り組みの概要を記す。

01 BONJONO（ボン・ジョーノ）
～暮らしの楽しみと場を共有する「シェアタウン」～

福岡県北九州市小倉南区の「BONJONO（ボン・ジョーノ）」は、戸建て住宅を中心に集合住宅や医療機能の複合した駅近接の郊外住宅団地である。「シェアタウン」をテーマに、タウンエディター（まちの編集者）による様々な仕掛けが施されており、住民個人個人の関心に基づく選択的コミュニティを育みつつ、街区ごとの管理組合や事業者により構成される「（一社）城野ひとまちネット」をベースとした、重層的なタウンマネージメントの体制が構築されている。タウンエディターのひとりである大分大学理工学部の柴田准教授にお話を伺った。

郊外住宅団地における戦略的なエリアマネージメントの取り組みと言え、全戸加入の管理体制など新規開発ならではの仕組みもあるが、団地内に様々な居場所（シェアプレイス）や、住民が自ら暮らしを拡張するための道具などを用意することは、既成の郊外住宅団地でも若年層の訴求力を高めるヒントとなり得る。

02 すくすく・いきいき村 ～幼老一体型の居場所づくり～

大分県大分市は、郊外住宅団地について共通の課題を持つ札幌市、盛岡市、長岡市、堺市、川西市、久留米市と共に「ふるさと団地の元気創造推進協議会」を平成22年に設立した（大分市は会長市）。大分市郊外にある緑が丘団地（約71ha）は、3,725人、1,600世帯、高齢化率37.6%（平成29年3月）の住宅団地で、大分市「ふるさと団地の元気創造推進事業」の

モデル団地として、空き家への住み替え支援等の取り組みが行われている。

緑が丘団地内に位置する「すくすく・いきいき村」は、サービス付き高齢者住宅、高齢者デイサービス、認定こども園、地域交流スペース、カフェなどを併設した複合施設。「みんなで育む、みんなで見守る、みんなで生きる」をモットーに、高齢者と児童の相互交流を育みつつ、地域へのサービスやスペース開放等を積極的に展開しており、地域交流の仕掛けが新たなサービス利用も生み出している。「すくすく・いきいき村」を運営する社会福祉法人 新樹会の池邉氏に紹介いただく。

社会福祉事業者による郊外住宅団地に新たな機能を付加し、多様性を高める取り組み事例と言え、高齢者と児童の交流や、施設を媒介とした地域住民との交流を促進することで、地域全体の持続性向上につながっている。

03 金沢シーサイドタウン 「あしたタウンプロジェクト」
～産官学民連携によるエリアマネージメント～

神奈川県横浜市金沢区の金沢シーサイドタウンは、埋立地に整備された集合住宅群からなるニュータウン。横浜市立大学の主導により団地内の空き店舗にまちづくり拠点「並木ラボ」が開設され、地域交流を促進しつつ、大学、地域企業、横浜市、横浜市住宅供給公社、自治会連合会などの参加により「横浜金沢シーサイドタウン協議会」を立ち上げ、エリアマネージメントに取り組んでいる。事務局を担う横浜市立大学国際総合科学部の中西准教授にお話を伺った。

都市インフラが充足している首都圏郊外住宅団地におけるソフト主体のエリアマネージメントの取り組みである。住環境の質の維持の向上に事業として取り組める地域企業を担い手として発掘し、ビジネスとの連携を図りながら、持続可能な仕組みの構築を目指しており、既成の戸建て住宅を中心とした郊外住宅団地においても参考となる点が多い。

04 地方都市の「小さな都市型住宅」建設から見えてくるもの

　広島県広島市東区の「テラスコート牛田旭」は、空き家予備軍であった古民家の敷地を次の世代に引き継ぐため建設された、小規模な木造長屋建ての賃貸住宅。中小規模の斜面地での開発許可制度への対応など厳しい敷地条件の中で、敷地の共同化や協調化が試みられ、半公共空間（中庭となる前面道路）等を介した地域コミュニティの形成に配慮している。都市計画の専門家であり、「テラスコート牛田旭」のコーディネーターを務めた(公社)中国地方総合研究センターの宮本氏に紹介いただく。

　市中心部に近接した既成市街地が舞台であるが、コストを抑制できる「木造」「長屋建て」「賃貸形式」の都市型住宅が子育て世代の居住を呼び込み、多世代コミュニティの形成の可能性が示唆されている。

05 新旧住民を結ぶコミュニティづくり
〜防災意識の醸成を契機として〜

　一貫田自治会は、広島市の東隣に立地する広島県安芸郡海田町の、西国街道に近接した旧い市街地にある小規模な自治会。山裾に立地しており、平成30年7月豪雨による被災を契機に、地域防災力の向上を課題と捉え、「そうめん流し」や「焼き芋」などの食文化に関するイベントを通して、世代間ギャップのあった新旧住民のお互いの顔が見える関係づくりに取り組んでいる。子育て世代であり、一貫田自治会の会長として取り組みを起案した竹野内氏に紹介いただく。

　高齢化の著しい地域において、地域外から担い手を集め、住民同士で共同作業を行うことを通して、新旧住民のつながりや防災意識を醸成し、地域コミュニティの持続性を高めていると言える。

01 BONJONO（ボン・ジョーノ）
［福岡県北九州市小倉南区城野駅北地区］

04 テラスコート牛田旭
［広島県広島市東区牛田］

05 一貫田自治会
［広島県海田町中店］

03 あしたタウンプロジェクト
［神奈川県横浜市金沢シーサイドタウン］

02 すくすく・いきいき村
［大分県大分市緑が丘団地］

郊外住宅団地の活性化の手がかりとしての事例マップ

01 BONJONO（ボン・ジョーノ）

〜暮らしの楽しみと場を共有する「シェアタウン」〜

（現地踏査：平成 31 年 2 月）

BONJONO の中央を南北に貫く遊歩道・さくらウォーク

「シェアタウン」BONJONO の概要

　BONJONO（ボン・ジョーノ）は、福岡県北九州市小倉南区の陸上自衛隊城野分屯地跡 18.9 ha が土地区画整理事業によって新規に開発されたプロジェクト。隣接する JR 城野駅は、小倉駅まで 10 分程度とアクセスに優れており、駅至近には北九州総合病院や医療モールが整備され、まちを南北に貫く「さくらウォーク」を中心に、戸建て住宅、店舗併用住宅、分譲集合住宅、UR 賃貸集合住宅等が混在する計画戸数約 850 戸の住宅地である。平成 25 年 4 月に 1 街区の保留地処分が行われ、平成 28 年 2 月に全街区の土地所有者が決定した。

　帰って寝るだけの「ベッドタウン」ではなく、暮らしの楽しみと場を共有する「シェアタウン」

BONJONO に掲示されているシェアプレイスマップ

50

がコンセプト。コミュニティ活動の中心となる「くらしの製作所 TETTE（テッテ）」を中心に、コミュニティファーム（共同菜園）や公園、レンタルスペースなど、暮らしの幅を広げる様々な居場所が用意されている。

まちに愛着を育む仕掛けづくり

BONJONO には、タウンエディターというサポート役が配置され、柴田建氏（大分大学理工学部准教授）、二瓶正史氏（(有)アーバンセクション代表）、西村浩氏（(株)ワークヴィジョンズ代表）の3人が就任している。

柴田氏は地域住環境のマネジメントやコミュニティ主導の地域づくりに携わる研究者であり、北九州市内の戸建て住宅地「青葉台ぼんえるふ」の研究に携わる中で、建築家・故宮脇檀氏の設計した美しいまちなみに住民が誇りを持っていると感じていたという。

二瓶氏は宮脇檀建築研究室出身の建築家であり、多くの戸建て住宅地の計画・設計に携わっており、BONJONO でも住民がまちに誇りや愛着を持てるような景観の創出に助力している。

西村氏は土木出身の建築士として土木と建築の垣根を越えた活動を行う建築家で、故郷の佐賀市中心市街地の空地活用プロジェクト「わいわい!!コンテナ」など地方都市の再生にも携わっている。BONJONO では「ふらっと来れる居場所があること」や「道具があること」の大切さを提案し、「くらしの製作所 TETTE」の設計を通して、DIY スペースや大工道具・調理器具のレンタルサービスなどに結実させている。

タウンマネージメントの実践

BONJONO には戸建て住宅街区や集合住宅街区、施設街区等、街区ごとに全戸加入の管理組合があり、各管理組合はタウンマネージメント組織「(一社)城野ひとまちネット」の構成員となっている。「城野ひとまちネット」にはタウンマネージ

北九州総合病院

オープン外構の戸建て住宅

医療モール「メディプラ城野」

分譲集合住宅

さくらウォークに面する「くらしの製作所TETTE」

コミュニティファーム（共同菜園）

コミュニティ活動「ビオラボ」掲示板

ひとまち公園

ベンチでひと休みできる歩道

ャーが置かれ、「くらしの製作所 TETTE」の受付やホームページ管理のほか、コミュニティ活動のサポートやイベントの企画実施を行っている。

　また、住民自身がまち育て（＝タウンマネージメント）に参加する場として、"まちの部活"「くらしラボ」が立ち上げられた。「くらしラボ」は個人の関心で結ばれた自由参加のコミュニティであり、月例でイベントを行う「TETTE会」、DIYを学ぶ「DIYラボ」、読み聞かせを行う「ブックラボ」、公園や遊歩道を清掃する「おそうじラボ」、野菜を育てて料理する「ビオラボ」、公園の使い方を考える「パークマネジメント研究会」など、多彩な活動が行われている。また、駅前分譲集合住宅の１階に開設された「スタディルーム」では、郊外版スタートアップの取り組みとして女性の

起業支援が始まっている。

ゼロ・カーボンへの挑戦

　北九州市は平成２０年に「環境モデル都市」に
認定され、城野駅北地区における「低炭素先進モ
デル街区」の形成がリーディングプロジェクトと
して位置付けられている。太陽光発電等による地
域内の二酸化炭素排出量の削減と、各戸に設置さ
れている HEMS（ホームエネルギーマネジメント
システム）によるエネルギーの見える化等が取り
組まれており、子供から高齢者までが安心して住
み続けられる持続可能なまちづくりが目指され
ている。将来的には、地域全体のエネルギー需給
の最適化や、まち全体での電力の共同購入なども
見据えている。

ソーラーパネルの屋根なみ

境の維持が社会的に評価され、資産価値の向上等
につながることが期待される。

今後に向けて

　柴田氏によれば、自治会加入率の減少や「くら
しの製作所 TETTE」の利用が住民の一部に留ま
っていることなどは課題となっており、外部支援
に頼ることなく、地域住民が自ら活動を担い、地
域内でお金を循環させていく持続可能な仕組み
の構築が求められるとのことであった。
　今後、タウンマネージメントによる良好な住環

［参考文献］
・（一社）城野ひとまちネット「くらしのレシピ　コンセプトブ
　ック」（平成 28 年 4 月）
・BONJONO ホームページ（http://www.bon-jono.com/）
・ストックデザインラボホームページ／「一般社団法人城野ひ
　とまちネット」のお仕事（https://www.stockdesignlab.com/）
・団地 R 不動産ホームページ・城野団地リノベーションプロジ
　ェクトレポート（http://www.realdanchiestate.jp/）

BONJONO に隣接する UR 賃貸集合住宅　OpenA、らいおん建築事務所、北九州家守舎らにより魅力的にリノベーションされている

02 すくすく・いきいき村
~幼老一体型の居場所づくり~

池邉 優雅（社会福祉法人 新樹会）

すくすく村、いきいき村合同の交流ランチイベントの様子

社会福祉法人 新樹会の概要

　社会福祉法人 新樹会は、児童福祉施設から始まった法人です。昭和59年4月、大分県大分市緑が丘団地の造成に伴い、地域の要請を受け緑が丘保育園を設立、園児12名からのスタートでした。その後、平成5年1月に社会福祉法人 新樹会として認可されました。季節の行事の際には、地域の老人会の方などが園に出向いてお手伝い頂くという、地域の中で育まれる保育園でした。当時、行事の度にそのように赴いて、子どもたちとの関わりを喜んでくださるご高齢の皆さんを目の当たりにした園長（現在：理事長）は、当法人でご高齢の方が通える場所があれば、このような世代間交流も頻繁にできると考え、平成11年4月、高齢者施設「横瀬介護保険サービスセンター・

いきいき」（現：「和みの郷」）を設立しました。
　その間、緑が丘保育園は、定員を90名まで増員し、園舎もそれに伴い増築することとなりました。慌ただしく数年が過ぎる中で、子どもは子どもの施設、高齢者は高齢者の施設と、それぞれ同じ世代だけで過ごすことに違和感をおぼえた理事長は、平成24年7月に高齢者施設と児童施設、

すくすく・いきいき村のある大分市内の緑が丘団地の街並み

54

園庭から望む高齢者福祉施設（左奥）と、保育園（右手前）

高齢者施設内の村食堂

木造建築の保育園内観

園庭の一部につくられた「ざわざわ山」

そして地域の方もご利用頂けるカフェが併設された「すくすく・いきいき村」を開村したというわけです。

　世上では、待機児童が騒がれる時代となり、大分市もまさにその渦中にありました。そのため、緑が丘保育園は定員を更に拡大し、平成27年、幼稚園児も通うことのできる「幼保連携型認定こども園緑が丘こども園」に移行します。村に引っ越した時の定員100名から、現在は定員215名の計231名が通う園となりました。一方で高齢者施設も、デイサービスを3事業所に増やし、和みの郷は生活支援ハウスやショートステイ等を加えた複合施設として運営していましたが、その施設の中にも事業所内保育所を開所し、平成30年「湯屋すくすく・いきいき館」として名称も新たに再スタートしています。

地域社会の中の施設とそのしくみ

　令和元年で、8年目を迎えたすくすく・いきいき村。「みんなで育む、みんなで見守る、みんなで生きる」をモットーに、0歳～100歳を超える方々

が、自己選択、自己決定の下、みんなでひしめき合いながら暮らす日々です。こども園の現在230名超の園児に合わせ、いきいき村の高齢者施設（デイサービス）の定員も110名という人数で、世代を超えた大所帯です。村の色々な場所で、同時多発的に様々なドラマが生まれています。

　すくすく村のこども園の建物は、大分県産材を活用した木造建築となっており、いきいき村の高齢者施設はRC造の建築です。木造とRC造の建物を繋げて一つの施設にするということは、建築基準法上も、児童と高齢者という制度上も難しい問題でした。子どもや高齢者たちがわざわざ靴を履き替えて行き来するというような運用は、現実的には不可能なことであり、またそれぞれが別々の施設になってしまうことは、容易に想像できることでした。そこで何としてでも2つの機能を繋げるため、建築士さんにはかなり苦心して頂きました。

　すくすく・いきいき村の児童施設と高齢者施設の間には、「村カフェ」という地域の方も利用可能なカフェを設置していますが、この件についても

理事長が何度も役所を訪ねて実現させました。社会福祉法人が運営する福祉施設内に一般の人も利用できるカフェの機能が存在することは、制度上困難な問題で、そこを何とか打開するための役所通いだったそうです。村カフェでは、いきいき村ご利用者様のランチメニューを、そのまま一般の方にも提供しています。ご利用者様のご家族や、いざデイサービスを利用するようになるまでに、デイサービスの昼食等がどのようなものかを知らないという地域の方々にもお食事の内容はもちろん、福祉施設そのものを知っていただくための取り組みです。あくまで地域の中に溶け込んだ閉鎖的でない施設を目指したかった、だれもが行き来してほしかったからです。村カフェは、まだ保育園に通ってない幼児を子育て中の地域のお母さん方や、口コミで知った方、リタイヤされたご主人が奥様とそのお友だちを車に乗せて来て頂くなど、様々な方に日常的にご利用頂いており、カフェを入口に、各福祉サービスの利用に繋がることも珍しくありません。

　また、いきいき村では、村内通貨「VIVID」を発行しています。ご利用者様の一日の運動量や、村への貢献度など、100 近い機能訓練メニューの中から自己選択により VIVID を稼ぐことのできるシステムを運用しています。稼いだVIVID は、もみほぐしや、お祭り、お出掛け、VIVID 商品等の購入、村カフェのドリンクメニュー等にご利用頂けます。

　社会福祉法人 新樹会は、このように事業を拡張してきましたが、法人内のどの事業メニューも、新たに事業を拡大しようというよりは、日々様々な困難に園児、ご利用者様を通して私たち運営者が直面し、その都度必要に応じて足して来たという感じです。

　平成 27 年、大分市が開催した、郊外住宅地の再生に向け地域資源について考えるワークショップに参加し、すくすく・いきいき村がある緑が丘団地の様々な困難なことや問題点、特性を目の当たりにしました。郊外住宅地の再生という課題は、一社会福祉法人の抱える問題と比べると、規

村カフェで開かれたバイオリンコンサートの様子

お年寄りと園児たちの交流

椎茸のこま打ち作業

模は何倍にも大きいですが、当法人のように困りごとに直面し、その実態を十分に踏まえた上で、何が必要か、何が活用できるかをみんなで挙げていくというアプローチに類似を感じました。緑が丘団地も、少子化・高齢化の進展により、独居の方、核家族が多く居住するようになり、ひと昔前のような「近所づきあい」「世代間交流」等が減少しています。当法人では外部に向け、季節のお祭

り、子育て支援、日頃よりランチの提供、地域や特別支援学校で製造された特産物の販売等を実施し、幅広い世代に向けて場所の開放を行っています。平成29年には、園庭等にヤマモミジや菩提樹、山桜の植樹をし、緑陰を増やすことで、ビオトープの再生や、ご利用者様や地域の方々の快適なお散歩コースを計画しました。魅力ある快適な場所として、少し遠方の方にも足を運んで頂き、「機会」と「交流」を提供し続けられる場所を目指したいと思っています。

そして、新たな必要に迫られることとは

現在どの分野も働き手の不足が嘆かれていますが、もちろん福祉分野も「3K（きつい・きたない・きけん）」と言われてしまうように、例外ではありません。保育の分野では、大分県はかつて待機児童ワースト4位の時代もあり、その対策として株式会社の参入も認めて保育所を増やしましたが、働き手がいないという最大の問題に遭遇しています。また、高齢者の分野においても、高齢化に伴い定員を増やしていますが、24時間の見守りを要する分野であるため、こちらも人材の確保には更なる注力を要します。今後AIが世の中に普及しても、保育、介護の仕事は人間が担う職業として残ると言われるほど、システム化できない「心」の面でのきめ細やかな質が求められる分野であるにも関わらず、人材不足問題というその土俵の手前で翻弄されることは、とても悲しいことです。

そんな折り、友人から聞いたタイ北部チェンマイが打ち出している「ワーケーション」という話が心に残りました。ワーケーションとは、2000年代アメリカで生まれた「ワーク」と「バケーション」を合わせた造語で、旅先でリフレッシュしながら仕事をすることを指します。日本でもすでに注目されつつあり、和歌山県や日本航空が導入しているそうです。なにも、福祉に携わる人は福祉に限らなくてもいいのではないか。そもそも、村のスタンスとしてもたくさんの人が行き来し、色んな大人の背中を子どもたちに見せたいというところもあります。

令和元年の7月、当法人のホームページリニューアル用の写真撮影の為、東京からカメラマンに滞在頂きました。すぐにでもポスターになりそうな、温泉に浸かる良い表情のおじいちゃんや、「ざわざわ山（園庭につくられた山）」を駆け巡る子どもたち等、日頃目にし慣れているはずの風景から切り取られた一瞬は、わたしたち働く者にとってもやはり重要な仕事であることを再確認できた出来事でした。

そこで、浮かぶのが「レジデンス」というキーワードです。アーティストのような違う分野で働く人に、村に滞在してもらいながら村の手伝いをしてもらう等、「ワーケーション」とも重なる仕組み作りを構築することで、次のステップに進めるような予感があります。「働く」こともパッケージの時代に入っていると思います。「3K」と言われてしまうに留まらない、もったいない部分を挽回すべく、私たちは世の中への打ち出し方、発信の手法を身につけなければいけない時がきています。

村キャンプ（お泊まり会）の朝

おばあちゃんたちのクッキング

「鍛錬道場」でのリハビリ風景

集合住宅の連なる金沢シーサイドタウン　店舗等が集積するタウンセンターの一角に「並木ラボ」が立地する

金沢シーサイドタウンの概要

　神奈川県横浜市金沢区の「金沢シーサイドタウン」は、約82haの集合住宅群からなるニュータウン。横浜市六大事業の一つに位置付けられた金沢

地先埋立事業の一部として整備され、昭和53年に入居が開始された。団地に沿って南北に金沢シーサイドライン（モノレール）が走り、横浜駅まで約30分、品川駅まで約1時間程度の立地である。

![約40年が経過し、緑が大きく育っている]

約40年が経過し、緑が大きく育っている

各集合住宅の設計には多くの建築家が参画している（槇文彦、大高正人、神谷宏治、内井昭蔵、宮脇檀、藤本昌也等）

団地内は通過交通を遮断し歩行者専用道路がネットワークされ、著名な建築家が集合住宅や公共施設の設計に参画した、都市デザインの先駆的な事例として知られている。人口約2万人（約1万世帯）のうち、分譲住宅に約7割、賃貸住宅に約3割が暮らしている。入居開始から40年が経過した現在、高齢化率36%と横浜市平均24%を大きく上回り、人口減少も徐々に進んでいる。

横浜市立大学による「並木ラボ」の開設

横浜市立大学は、平成25年に文部科学省「地（知）の拠点整備事業」の採択を受け、団地内商店街の空き店舗に、地域と大学をつなぐまちづくり拠点「UDCN（Urban Design Center Namiki）並木ラボ」を開設した。

「並木ラボ」は、地域住民の交流やイベント・セミナー等の活動、まちづくりの情報発信等のスペースとして開放されている。また、横浜市立大学のサテライトオフィスとしても位置付けられ、大学の公開講座なども開催されてきた。

エリアマネージメントへの展開

「並木ラボ」の活動を踏まえ、横浜市立大学、地域企業、横浜市、横浜市住宅供給公社、連合自治会などの産官学民連携によるエリアマネージメント組織「横浜金沢シーサイドタウン協議会」を平成30年5月に設立した。これに伴い「並木ラボ」の運営主体は大学から協議会へ移行され、横浜市立大学と横浜市住宅供給公社が担う事務局機能もリニューアルされた「並木ラボ」内に置かれており、拠点維持に係る費用も大学と公社が負担している。

協議会は、地域課題の解決やコミュニティの活性化を目的として、「あしたタウンプロジェクト」の立ち上げ、ロゴマークの住民投票等に取り組んでいる。

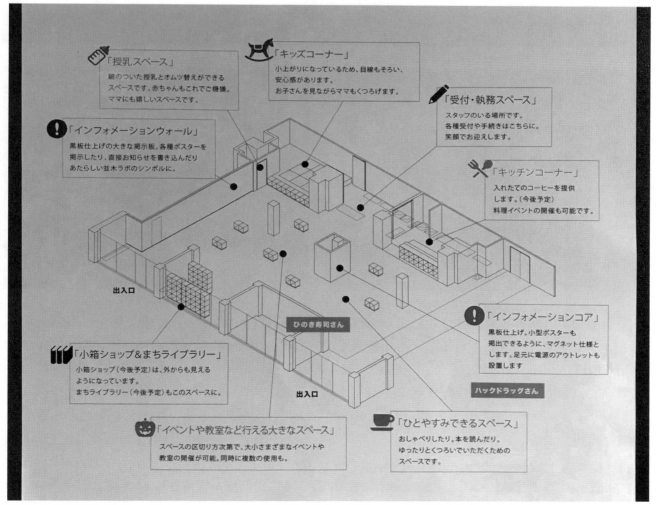

運営主体が協議会に移行し、新たにリニューアルされた新「並木ラボ」の概念イメージ（「並木ラボ」内のポスター）

「並木ラボ」内にはワークショップ参加者の意見が反映され、小上がりや授乳室が設けられた

「並木ラボ」はエリアマネージメント組織の事務局機能も兼ねる

住民投票により決定された「あしたタウンプロジェクト」ロゴマーク

　事務局を担う横浜市立大学の中西正彦准教授は、エリアマネージメント組織の大きな役割を「情報流通（発信）」と「拠点運営」の二点であると考えているという。ハードが十分整備された金沢シーサイドタウンでは、ソフトの活動をいかに地域に周知していくかが重要視されている。

エリアマネージメントの担い手のあり方

　取り組みの初動は横浜市立大学による補助金の活用であったものの、補助金は期間限定の仕組みであり、大学もボランタリーな関わりには限界があり、将来的には地域の担い手に引き継いでいくことが求められるという。エリアマネージメントには、事業化を行う能力も必要とされるため、地域住民だけでその役割を担うのは難しい側面がある。

　そこで活躍が期待されるのは、ローカルで事業を展開している地域企業である。ビジネスとの連

携を図り、相互にメリットのある方向を模索しており、将来的には協働で「並木ラボ」を運営するようなことも見据えているようだ。

「横浜金沢シーサイドタウン協議会」のメンバーには、緑の管理を行う石井造園(株)、不動産仲介を行う(株)三春情報センター、建て替えやリフォームを行う(株)安藤建設などの地域企業が参加している。各社ともCSR意識が高く、赤字にならない程度の中で汗をかき、将来的にビジネスチャンスに繋がれば良いというスタンスで関わってくれているという。

また、半官半民的な立場である横浜市住宅供給公社の役割も大きいという。

これからの展開について

新規分譲住宅地でのエリアマネージメントは各地で実践されているが、既存の住宅団地におけるエリアマネージメント体制の構築はこれからの課題である。中西准教授は、初期は大学や第三セクター（住宅供給公社等）が先導し、複数の地域企業を引き込んで次第にその役割を拡大していき、いずれは共同企業体主導に引き継いでいくようなスキームを、金沢シーサイドタウンにおける取り組みでモデルとして確立していきたいと考えているという。

協議会に参加する(株)三春情報センターは、不動産仲介やリフォームなどのほか、弁当屋を買収して給食サービスに発展させるなどの生活支援サービスも手掛ける総合生活産業を目指す地域企業。団地内には、入居者の高齢化が進んだ、エレベーターのない古い4～5階建て集合住宅もあり、そうした住戸を買い取り、リノベーションすることで若い世代の入居にもつながる住み替え促進事業の取り組みも始めている。将来的には、このような事業をエリアマネージメント組織として、戦略的な方向性を持って進めていけることが望ましいと考えられる。

住宅ストックの活用促進について

金沢シーサイドタウンは、設備の老朽化は進行

しているものの、建て替えを要する段階ではないという。

既成の郊外住宅団地の中には、住み替えが円滑に進まず、家屋の荒廃が進んでしまう例も見られるが、住宅ストックを適切にメンテナンスし、住環境の質を維持することは、円滑な住み替えを促し、住み継ぎによる多世代居住の促進やコミュニティの持続性の向上につながる。先を見据えて修繕やリノベーションへの地域意識を高めていくことも重要と考えられる。

［参考文献］
・金沢シーサイドタウン「あしたタウンプロジェクト」ホームページ(http://ashitatown.jp/#)
・横浜市「データ de かなざわ・金沢シーサイドタウン地区」
・(公財)ハイライフ研究所「東京生活ジャーナル」ホームページ(https://www.hilife.or.jp/journal2/2011/03/post_121.html)
・生活協同組合パルシステム神奈川ゆめコープ「たいせつじかん・輝く女性インタビュー」ホームページ(https://www.taisetsujikan.com/?cat=10)

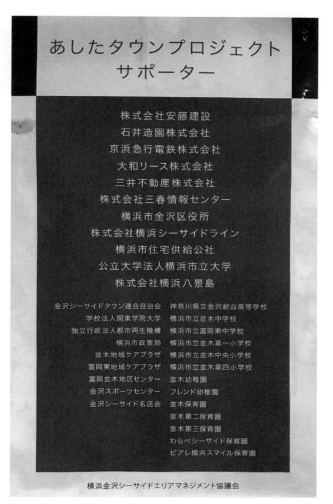

地域企業を中心とするプロジェクトのサポーター（「並木ラボ」内のポスター）

04 地方都市の「小さな都市型住宅」建設から見えてくるもの

宮本 茂（公益財団法人中国地域創造研究センター　主席研究員）

集合住宅「テラスコート牛田旭」の外観（7世帯、長屋建て。左側に旧住民（オーナー親族）の家4世帯が隣接している。）

はじめに

　最近、地方では少子高齢化、人口減少に苦しむ自治体が多い。地方都市では高度経済成長期に造成された郊外住宅団地が縮退傾向の中、街なかではホテルとマンション建設が活発である。その中で、古くからの小規模敷地が集まる市街地で空き家・空き地化（スポンジ化）が進んでいる。古くからの一般市街地は面整備されていないため、隣接地と連携した更新が必要になるが、「隣とは仲が悪い」のが一般的で、協調型、連携型更新は進まないのが現実である。一方で、団塊の世代はすでに65歳を超え、次の世代（親族や第三者世帯）に円滑に引き継ぐことが必要である。

　広島市内の例であるが、建築更新を行った一例を紹介したい。

広島市東区の牛田エリアの俯瞰写真

空き家予備軍の古民家を、次の世代に引き継ぐために小規模な賃貸住宅として建て替え、実現

　広島市東区内の住宅地に築100年以上の古民家があり、高齢女性が一人で暮らしていた。ますま

62

す高齢化する中で土地資産を次の世代などにどう引き継ぐかが課題となった。子ども世代が集まり検討し、10年をかけ、平成29年にようやく小さな賃貸住宅（木造長屋建て7戸、一戸当たり住居占有面積100㎡）を誕生させた。所有者・親族に加えて、建築士、建設会社、開発業者、不動産業者、弁護士、ＮＰＯなど、多くの専門家が結集して完成させたものである。筆者はコーディネーターとして参加した。

1994年（平成6年）頃の、従前地の様子

空き家状態にしないことと、次の世代に継承すること

まず重要なことは、空き家の状態になっている期間を短くするための対策である。改修・改築、建て替え、売却など様々な対策が選択肢としてあるが、次の利用者に渡るまでの期間を短くし、かつ、子どもを含む親族に継承、住んでもらうことが望ましい。空き家の期間が長くなると住宅の傷みが進行することや、親族が暮らすことで、地域のコミュニティが継承されていくことが期待されるためである。一般的に、生前にご本人の資産継承について検討することはタブー視されるが、

介護が必要となる時期や認知症などになる前に、生前贈与、家族信託（民事信託）、賃貸住宅経営、リバースモーゲージなどを検討・決断することが必要である。今回の事業でも賃貸住宅経営と成年後見人制度を併用したが、10年を要したのは、本人と親族の合意形成によるところが大きい。家族以外の第三者が長期間、継続的に関わり続けることが重要である。

成年後見人制度適用に至ったものの、2014年広島土砂災害を受けて、建物資産保全を優先

成年後見人制度を利用すると、要介護者本人の動産・不動産が後見人（家庭裁判所、又は委託を受けた弁護士）の管理下になる。そのため、財産活用は要介護者本人の利益になることが前提で、次の世代の利益に繋げる相続に向けた対策が困難となる。土地・建物の権利移動はもちろん、銀行融資などの抵当権設定も困難である。

このため、事業を一旦は諦めたものの、広島土砂災害の結果を受けて、家庭裁判所に対して、敷地裏の崖地の危険性、整備の緊急性を訴えた。個人住宅ではなく、社会的な住宅とすることで、介護期間終了後には新しい家に入居できること、賃貸住宅とすることで本人の介護費用の一部とすることとした。

おそらく、成年後見人制度の中で、銀行融資を受けて事業化した事例としては、全国初ではないかと考えられる。

できる限り敷地の共同化、協調化を目指すこと

要介護者1人に加えて、隣接して親族が暮らしており、本人・親族の所有する敷地は2,400㎡（雑種地、法面等を含む）である。本来は、全体を一体的に整備すべきであるが、親族世帯の事情もあり、一部の1,800㎡を開発することとなった。暮らしが長いことで、ライフサイクルのタイミングが合わないこと、経済的にも価値観も異なることなどが、原因である。共同して建て替えることの難しさを感じた。

一方で、開発面積 1,000 ㎡を超えることで、開発許可制度の適用を受ける。大きなネックとなったのは、敷地に至るまでの道路整備、裏の崖地整備、敷地内の道路整備が求められ、すべて開発者負担となることである。敷地に至るまでの道路は、主要幹線道路から幅員 6m 以上で縦断勾配 9%以内の条件があり、建築計画で何とかカバーできた。崖地の整備や敷地内道路（位置指定道路）は事業費の中で負担をせざるを得ず、事業性が厳しくなるため、木造とせざるを得ないこととなる。中小規模敷地においては、中層中密で良好な住宅の整備の難しさを感じた。

配置図

■ 親族の敷地(2,400 ㎡)　■ 開発面積(1,800 ㎡)

■ 位置指定道路(幅員 4m〜6m)

- ・ - 開発道路(幅員 6m)

コミュニティを継承、創出すること

コミュニティを継承していくためには、昔ながら住んでいる居住者と新しく入ってくる居住者が「近所づきあいのある暮らし」をできるよう計画する必要がある。旧住民と新住民の融和を考えながら、コミュニティを創出するのである。入れ替わりが激しい賃貸住宅ではコミュニティ形成は難しいが、新住民の 7 戸の新築賃貸住宅と旧住民の 4 戸の既存住宅がまとまるよう計画した。新旧建物が違和感なく風景に溶け込めるようデザインし、地域の人々とも新しいコミュニティが生まれるような開かれた集合住宅としている。新た

に整備した前面道路の平面部分を集合住宅の中庭と見立て、住宅群に囲まれることで全体の一体感と安心を感じられるようにしている。また、敷地内に死角をつくらず、住民が必ず通行する動線上に中庭を設け、自分たちの場所と感じられる「半公共空間」を設けることで、コミュニティが自然に生まれることを計画した。現在、7 戸の賃貸住宅には約 30 人が暮らしており、前面道路や駐車場では子どもたちの遊ぶ姿が絶えない。

中庭で遊ぶ子どもたち
（道路ではあるが、通過交通がないため、自分たちの場所だと感じられる空間。）

さらに、入居者募集段階から、町内会加入を入居の要件とするとともに、年 3 千円の会費は口座振込みではなく、手渡しとしている。入居者間に会話が生まれる機会を作り出す狙いを込めている。現在では、こうしたルールを含めて「管理にうるさい大家が隣に住んでいる」ことが、新しい入居者に対して大きな売りになっている。

ママ友同士で、自然に交流が始まる
（居心地がいいと、すぐに集まりの場に変身。楽しそうな笑顔がすべてを物語る…。）

64

集まって暮らすための住宅として、木造にも可能性があること

集合住宅の場合、防災や安全対策の面からは、鉄骨造や鉄筋コンクリート造とすべきであるが、家族向け住宅で住居占有面積が大きくなると、建築コストが上昇し、家賃や販売価格に反映してしまう。地価が相対的に低い地方都市では、集合住宅といえども木造のほうが建築費を抑えることができ、経営や販売戦略上有利である。鉄筋コンクリート造の大規模なマンションではない、小規模で長屋建てという形が、都市型住宅としての可能性を感じさせるものとなっている。

持ち家ではなく、賃貸による住宅供給の可能性があること

地方都市でも、住宅団地や市街地で空き家対策の取組が進んでいる。更新後の建物利用として、敷地を分割するなどして、戸建て持ち家が主流となっている。しかしながら、賃貸という住宅所有形態も、安定的な資産活用につながるとともに、住民が住宅所有に縛られること無くライフステージによって住み替えができることなどから、これからの住宅供給のモデルになる可能性を秘めていると考えている。

なお、当事業は、コミュニティを形成していくためのデザインや手法が評価され、平成 30 年 11 月、第 16 回ひろしま街づくりデザイン賞（奨励賞）（広島市）を受賞した。

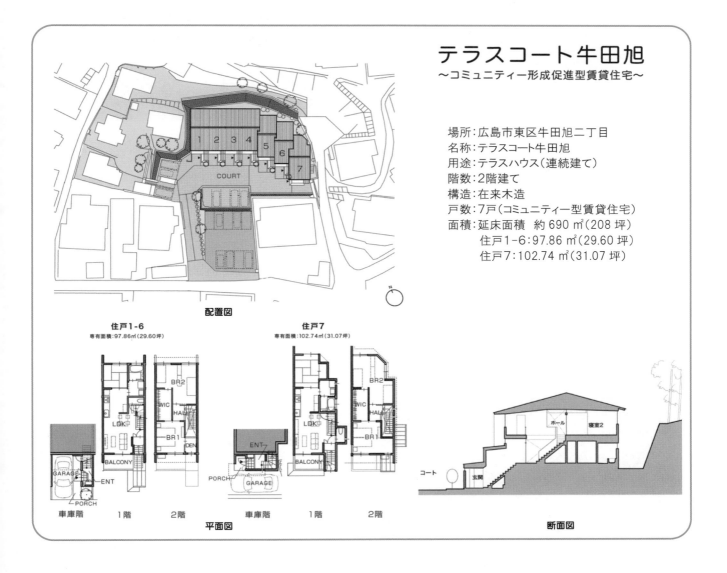

テラスコート牛田旭
〜コミュニティー形成促進型賃貸住宅〜

場所：広島市東区牛田旭二丁目
名称：テラスコート牛田旭
用途：テラスハウス（連続建て）
階数：2階建て
構造：在来木造
戸数：7戸（コミュニティー型賃貸住宅）
面積：延床面積　約 690 ㎡（208 坪）
　　　住戸1-6：97.86 ㎡（29.60 坪）
　　　住戸7：102.74 ㎡（31.07 坪）

配置図

住戸1-6
専有面積：97.86㎡（29.60坪）

住戸7
専有面積：102.74㎡（31.07坪）

平面図

断面図

05 新旧住民を結ぶコミュニティづくり
～防災意識の醸成を契機として～

竹野内 啓佑（海田町一貫田自治会 会長）

はじめに

広島県海田町は広島市都心部から１０km 圏内にありながら、周囲を山々に囲まれ、町の中央を瀬野川が流れるなど豊かな自然環境を有している地域です。江戸時代には西国街道の宿場町として栄え、千葉家住宅などの文化財や寺社、町家の面影を残した家々が建ち並んでいます。

海田町一貫田地区の街なみ

一貫田自治会は、この西国街道から北に入った山裾にある 35 世帯 100 人ほどの旧来の集落です。町内で１、２を争う小さな自治会であり、世帯数の減少や少子高齢化の進展、新しい住民が転入するなど地域コミュニティの在り方を見つめ直す時期に差し掛かっています。また、平成 30 年 7 月豪雨により自治会の一部が被災し、地域防災力の向上も喫緊の課題として浮き彫りになりました。

こうしたことから、お互いの顔が見え、名前が分かる関係づくりを進めていくため、季節の風物詩である「そうめん流し」や「焼き芋」といった昔ながらの食文化を通して、人と人とのつながりをベースにしたコミュニティづくりに取り組むことにしました。テーマである「新旧住民を結ぶコミュニティづくり」の一つの視点を見出すきっかけになるのではという思いから、その取り組みをご紹介します。

プロジェクトの背景

　全国的な傾向として、ライフスタイルの変化や働き方の多様化などにより、旧来組織である自治会は求心力を失ってきています。当自治会も例外ではなく、高齢化率が45％という限界集落に近づく中、近年は、回覧や地域清掃などの義務的活動のみを取り組むだけの組織になっていました。

　こうした中、平成30年7月豪雨により、自治会内の約2割にあたる家屋が被害を受けました。

契機となった平成30年7月の豪雨災害での被災

　形だけの自主防災組織は当然ながら全く機能せず、誰がどこへ避難したかも分からないなど住民間のコミュニケーション不足が明らかになりました。一方で、発災後には、住民が自発的に土嚢づくりやお茶出しなどのボランティア活動に汗をかき、共に助け合う文化が地域の中に残っていることに気付くことができました。「セーフティネットとして地縁はあったほうがいい。」そう思い、自治会の衰退を受け入れながらも、地域を未来につないでいくためのプロジェクトをスタートしました。

プロジェクトの概要

　当自治会の衰退の背景には、住民を辛うじてつなぎとめてきた、暮らしの延長線にあった四季折々の行事（春のお花見、夏の盆踊り、秋の神輿、冬の餅つきなど）が失われたことがあります。

　新しく転入してきた住民にとっては、こういった機会がなければ地域に溶け込むことは容易ではありません。そこで、思いついたのが夏の風物詩「そうめん流し」です。これなら、新旧住民、

昭和50年頃の地域のお祭りの集合写真

子供から高齢者まで誰もが参加でき、食を通して喜びを分かち合えるのではないかと思いました。ただ、0から1を生み出すには大きなエネルギーが必要です。頑張ろうにも自治会には体力が残っておらず、仲間になってくれる人たちをどう増やすかが悩みの種でした。

　「観光以上・定住未満で地域に関わる人たち」を示す「関係人口」という言葉が地方から注目を集めています。これにヒントを得て、外から力を借りることにしました。声掛けに応じてくれたのは、社会貢献活動の一環でバックアップしてくれた中国電力(株)、私の会社の有志で結成した「そうめん流し隊」、海田町役場がマッチングしてくれた町内在住者など、多様な立場から大変多くの方々に支援していただきました。

　自治会の命題ともいえる「コミュニティ」、「防災」という2つのテーマを掲げ、「記憶に残るそうめん流し」を中心としたプログラムによる「地域を未来につなぐそうめん流しプロジェクト」を実現することができました。地域を未来につなぐ花火が上がったと感じました。

「記憶に残るそうめん流し」

町内の里山から竹を切り出し、竹製の流し台、容器、箸を製作しました。住民からは、そうめんや具材の寄付を募り、自分たちでそうめんを茹でたり、めんつゆを作ったり、会場設営したりと、ひと手間かけて共同作業することにこだわりました。食を通した交流の楽しさを共有したほか、自治会活動への意欲がある人材や参加に二の足を踏んでいた層を掘り起こすことができました。

住民、地元企業、そうめん流し隊による協同での準備作業

幅広い年齢層の住民がそうめん流しを通して喜びを分ち合う

「地域のことをもっとよく知ろう展」

地域の昔の様子が垣間見えるような何気ない日常風景、自治会の集り、お祭りなど時代と共に多様化してきた地域の営みを写真展示しました。人と人のつながりや、過去から未来への時のつながりを共有することで地域への愛着や想いを強くできると実感できました。

「オリジナルロゴデザイン」

地域の連帯感を醸成することや7月豪雨災害で毀損した地域のイメージアップを図ることを目的に当自治会のオリジナルロゴデザインを作成しました。今後、住民が日頃から目にする自治会区域内の街区表示板へ貼り付けていきます。地域コミュニティへの帰属意識を高めていけるのではないかと思っています。

「オリジナルロゴデザイン」

その他、子供たちの夏の思い出づくり「夏休み最後のスイカ割り」、天気予報士による気象予報と自然災害をテーマにした講演「つかちゃんのお天気コーナー」、住民に知ってもらいたい地域や防災をテーマにしたクイズ大会「一貫田クイズチャンピオン」、防災グッズの展示体験会「モンベルによる防災」などを実施し、「なんだ かんだで いっかんだ」を掛け声にプロジェクトは幕を閉じました。当日の様子はテレビでも放映され、住民の記憶だけでなく記録にも残るプロジェクトになりました。

地域住民から提供された一貫田自治会の昔の写真を紹介

「つかちゃんのお天気コーナー」

「夏休み最後のスイカ割り」は、地元スーパーからの寄付

「一貫田クイズチャンピオン」では全問正解者に防災グッズをプレゼント

の実現に向けた検討に取り組んでいます。この井戸は、災害時のライフラインのみならず、日常時のコミュニケーション装置として地域の暮らしに安心感を与えるものになる可能性を秘めています。井戸の近くに小さな畑を開墾し、井戸水を利用した水やり、土いじり、秋の収穫祭を開催することによって、新旧住民が共に苦労や喜びを分かち合える場を創出したいと思っています。住民ひとり一人が他の人の喜ぶ顔を想いながら畑作業する。信頼、共感、暮らしの安心はこうした日々の営みの中にあるのではないでしょうか。

おわりに

自治会活動は地域貢献という大義のもと滅私奉公が求められますが、その精神から脱却しないと先細りする自治会組織に未来はないような気がしています。誰もが楽しいことや面白いことはやりたいし、そうではないことはやりたくない。いたってシンプルなことです。

まずは自分が笑顔になる取り組みから始め、徐々にでも地域に幸せのムーブメントが拡がっていければと思います。人と人とのふれあいやつながりから生まれる温かく居心地のよい空気が漂い、「なんだ かんだで 一貫田」に住んでいてよかったと言い合えるような地域を目指します。

今後の展望

今回の実験的なプロジェクトの成果として、人と人のつながりで自治会活動は変われるということ、そして、住民の皆さんは地域でのリアルな交流を求めていることを知ることができました。

昔の地域にあった縁側や井戸端のような気軽にコミュニケーションをとりあい、緩やかにでも持続的につながる仕掛けが必要とされています。そこで、現在、世界的に著名な建築家である三分一博氏がプロデュースした「井戸プロジェクト」

日没後の会場をぼんやりと照らした竹の灯篭

column

地域コミュニティを育む 花壇・菜園づくり
― 住宅団地内の低利用スペースの再生 ―

プラザシティ新所沢「みんなのお庭」

　埼玉県所沢市のプラザシティ新所沢緑町第二団地は、ＵＲ賃貸住宅からなる集合住宅団地。子供が減り、使われなくなっていたプレイロットが「みんなのお庭」として再生され、団地住民や近隣住民が月２回手入れしている。手入れ後はハーブティーを入れて談笑したり、小さなイベントの場にもなるなど、草花を媒介にコミュニティが徐々に広がっている。

［参考文献］
・ＵＲ都市機構ホームページ(https://www.ur-net.go.jp/chintai_portal/welfare/east/east_jirei_1503_1.html)

丁寧に手入れされた花壇

ワークショップを経て再生された「みんなのお庭」　　目を楽しませる花々

団地内広場に開設された「団地の農場　日の里ファーム」

会員募集のポスター

日の里ファームの入り口

日の里団地「日の里ファーム」

　福岡県宗像市の日の里団地も、ＵＲ賃貸住宅からなる集合住宅団地。ＵＲ都市機構は東レ建設(株)と協働で、団地内の広場に「日の里ファーム」を開設した。「日の里ファーム」では高床式砂栽培を採用し、自動灌水やサポートスタッフにより、高齢者や車椅子使用者が体に負担をかけず、誰でも参加可能な仕組みとしており、健康づくりや地域交流の促進が期待されている。

［参考文献］
・団地の農場　日の里ファーム　ホームページ(http://www.hinosato-f.jp/)
・LIFULL HOME'S PRESS「年を重ねても住みやすく、健康維持に役立つ環境づくりを目指して」(https://www.homes.co.jp/cont/press/rent/rent_00316/)

第 3 章

郊外住宅団地の活性化に資する

取り組み事例と担い手の整理

郊外住宅団地の活性化に資する取り組み事例と担い手の整理

1. 事例整理の考え方

目的

　郊外住宅団地の活性化にかかわる取り組みは、全国各地で実践が試みられ、様々な取り組みが蓄積されてきている。また、住宅地計画、住宅政策、都市計画や不動産の研究者やコンサルタント、マーケットリサーチャーから評論家までの幅広い専門家によって、様々な調査や研究、議論が行われてきている。しかし、対象が多様かつ膨大であるため、体系的な調査や整理が十分になされているとは言い難く、ケーススタディの集積が中心となっている面もある。

　ここでは、そうした調査や事例の蓄積があることは理解しつつ、膨大な事例の中から、有用な事例を探し出すための一助になることを目的として、現時点で検索可能なインターネット上の事例を収集し、整理することを試みた。（事例収集期間：平成 30 年4 月〜平成 31 年 3 月）

「空地・空き家活用」と「課題解決に向けた取り組み」

　事例の整理にあたっては、「空地・空き家活用事例」と「課題解決に向けた取り組み事例」に大別した。前者は活用後の用途を縦列、後者は取り組みの目的を縦列に置き、それぞれその担い手を横列に置いて、表として整理している。

　なお、紙面の制約から表中には事例番号、事例名称及び地域の記載に留めざるを得ないため、各事例の概要については巻末のデータシートを参照されたい。

事例抽出の考え方

　事例の抽出にあたっては、一般に郊外と言われる大都市外延部の住宅地のみならず、都心に隣接する住宅地や、地方小都市を対象に含めた。地方小都市については、県庁所在地等の地方中核都市のベッドタウンとなっている場合もあり、大都市郊外と共通する人口減少、高齢化、建物の老朽化、空き家化、等の課題を抱えていると考えられる。

　また、中心市街地、歴史的市街地、農山村等の地域については抽出の対象としないことを基本としているが、郊外住宅団地の活性化の参考になり得ると思われる特徴的な事例については、参考として取り上げている。

立地条件の類型

　事例を参照するうえで、立地条件を次のように分類する。

●戸建て住宅団地

戸建て住宅主体で、商業施設やコミュニティ施設が混在する住宅団地

●集合住宅団地

集合住宅主体で、商業施設やコミュニティ施設が混在する住宅団地

●集合戸建て混在団地

団地と呼ばれる区域の中に、集合住宅と戸建て住宅が混在する住宅団地

●郊外地域

集合住宅や戸建て住宅が混在する一般的な住宅地

●広域

複数の住宅団地を対象とする、総合的な取り組み等

2. 空地・空き家活用事例の整理

用途	公共または公的団体	大学等教育機関	社団法人・協同組合等	NPO・社会福祉法人等	民間企業	個人
①交流スペース				A02 小林ふれあいの家（東京都世田谷区） A04 尾道地域交流スペース（広島県尾道市） A07 新屋参画屋（秋田県秋田市） A43 さくら茶屋にししば（神奈川県横浜市）	A06 高崎経済大学O号館プロジェクト（群馬県高崎市）	A01 こすみ図書（東京都墨田区） A03 シェア奥沢（東京都世田谷区） A05 コミュニティレストラン「のら」（埼玉県さいたま市） A08 ジュピのえんがわ（神奈川県横浜市）
②福祉用途	A34 戸建て子育てりぶいん（神奈川県横浜市） A42 大阪府営住宅ストック活用事例集（大阪府）			A32 福祉のまちづくり空き屋バンク情報センター（徳島県鳴門市） A35 ぐるんとびー駒寄（神奈川県藤沢市）	A33 住宅型有料老人ホーム「介護の王国」（神奈川県） A36 ゆいま〜る高島平（東京都板橋区）	A09 広島放課後等デイサービス「ハピネス」（広島県坂町）
③商業用途	A15 空き家活用店舗（広島県庄原市）				A10 逗子シェアアトリエ「サクラブ」（神奈川県逗子市）	A13 飲食店「のと×能登」（石川県輪島市） A14 古民家活用居酒屋「酒屋弥三郎」（石川県金沢市）
④宿泊用途	A18 五條市滞在体験型観光施設「前坊邸：旅宿やなせ屋」（奈良県五條市）			A16 尾道ゲストハウス「あなごのねどこ」（広島県尾道市） A17 尾道ゲストハウス「みはらし亭」（広島県尾道市）		
⑤シェアハウス		A11 KGU空き家プロジェクト「びわの木テラス」（神奈川県横須賀市）	A12 出羽島プロジェクト「充電ハウス」・「渋家」（高知県高知市）		A24 産学官連携によるシェアハウス（神奈川県横浜市） A30 ペットと暮らすシェアハウス（首都圏）	
⑥集合住宅	A39 泉北ニュータウンDIYリノベーション再生（大阪府堺市） A40 二宮団地リノベーション（神奈川県二宮町） A41 UR千島団地リノベーション（大阪府大阪市）				A23 新たな日常の場づくりとしてのリノベ（首都圏） A36 ホシノタニ団地（神奈川県座間市）	
⑦一般住宅			A28 移住・住み替え支援機構（東京都千代田区） A37 住宅インスペクションと提携した既存住宅流通促進（全国）	A26 NPO 空家・空地管理センター（埼玉県所沢市・東京都新宿区）	A21 地元密着型の多角的コンサルティング（福岡県福岡市）） A22 総合不動産コンサル（福岡県） A25 アキサポ（首都圏） A31 空き家を内装費負担でサブリース（神奈川県横浜市）	
⑧公園・広場等	A19 隣地拡大による空き家解消（埼玉県毛呂山町） A20 空き家敷地の公園活用（福井県越前町） A27 市民緑地認定制度（全国）					

3. 課題解決に向けた取り組み事例の整理

目的	公共または公的団体	大学等教育機関	社団法人・協同組合等	NPO・社会福祉法人等	民間企業	個人
① 多世代・福祉・活性化等まちづくり全般に対する総合的な取り組み	B06 広島市住宅団地の活性化に向けた取り組み（広島県広島市） B07 泉北ニュータウン再生の取り組み（大阪府堺市） B10 兵庫県におけるニュータウン再生の取り組み（兵庫県） B11 明舞団地再生の取り組み（兵庫県明石市） B12 大分市ふるさと団地の元気創造推進事業（大分県大分市） B14 男山地域再生の取り組み（京都府八幡市） B15 竜王団地再生事業（徳島県徳島市・石井町）		B16 団地再生事業協同組合（東京都港区）	B05 千里・住まいの学校（大阪府豊中市・吹田市） B13 グリーンオフィスさやま（埼玉県狭山市） B17 松園ニュータウン・二地域居住等推進研究会（岩手県盛岡市）	B01 鉄道会社による「リノベ＋サブリースによる空き家対策」（首都圏） B08 電鉄各社沿線での取り組み（首都圏・近畿圏） B09 近鉄グループによる団地再生に向けた取り組み（近畿圏） B20 緑が丘ネオポリスにおける戸建て団地再生の取り組み	
② 多世代居住・新住民獲得を主目的とする取り組み	B04 ごうつビジネスプラン・コンテスト（島根県江津市） B18 北海道北広島団地の活性化（北海道北広島市） B21 町田市鶴川団地と周辺地区再生方針（東京都町田市）		B19 三木市生涯活躍のまち構想（兵庫県三木市）			
③ 高齢者・障がい者・児童等の福祉環境整備を主目的とする取り組み	B22 地域包括ケア「あおばモデル」（神奈川県横浜市） B24 大阪府営住宅ストック活用事例集（大阪府） B25 豊明団地地域包括ケアシステム（首都圏）		B02 活用支援PFデザイン（東京都世田谷区）	B23 地域生活支援「オレンジねっと」（首都圏）	B03 イニシアチブによる「サ高住」整備（鳥取県米子市）	
④ イベント等による地域の活性化を主目的とする取り組み	B28 大分市ふるさと団地の元気創造推進事業	B26 みらいネット高島平（東京都板橋区）		B27 常盤平地域活性隊（千葉県松戸市）		
⑤ まちづくりや地域活性化を支援する取り組み	B30 横浜市地域まちづくり支援制度（神奈川県横浜市）					
⑥ 外国人住民とのコミュニティ形成を支援する取り組み	B31 川口芝園団地・西川口市街地住宅における中国人コミュニティ（埼玉県川口市）		B32 茨城県大洗町における日系インドネシア人の定住化（茨城県大洗町）		B33 実習生モスク（宮城県気仙沼市）	

4. 事例整理を俯瞰して

(1)空地・空き家活用事例の用途から

①交流スペース

　地域住民のコミュニケーションを促進し、ボランティアや子育て支援等の情報拠点として、地域社会の維持に有効な活用手法と考えられ、郊外住宅団地や郊外地域での導入事例も多く見受けられる。

　運営主体は、個人、数名のグループ、ＮＰＯ、社会福祉協議会等の非営利団体が多く、資金面や事業の継続性が課題と考えられる。また、一定の地域内で成立する数は限られ、空き家活用の需要としては立地を選び、量的にも多くはない。

②福祉用途

　戸建て住宅や集合住宅、農家など様々な建物形態を活用する事例があるが、多くは小規模である点は共通しており、郊外地域での事例も多く見受けられる。また、住宅団地外も含め、広いエリアをサービス対象とするもので、団地内の施設用地や施設跡地等に設けられている例が見られる。

　放課後等デイサービス、住宅型有料老人ホーム、小規模多機能型居宅介護事業所、分散型サービス付き高齢者住宅などの活用事例があり、主目的である福祉的用途に限らず、地域交流を促進する効果も期待できる。

　運営主体は社会福祉法人、ＮＰＯ、民間企業、個人など幅広く、社会的に必要性が認知されており、事業継続性を高める公的支援も期待される用途と言える。今後も高齢者福祉や子育て支援の充実がいっそう求められるため、小規模なものは、小さなエリアで整備されることが期待され、空き家活用の選択肢として一定の需要があると考えられる。

　住宅団地内での住宅の他用途への活用には、都市計画規制との整合や関係者との合意形成がハードルと考えられ、特に分譲集合住宅等では、住宅の施設利用が管理規約で制限されている場合もある。

③商業用途

　郊外地域で店舗を成立させることは、一般に難しいと考えられるが、地域食材を提供する小さなレストランやシェアアトリエなど、魅力的な企画のものが少数であれば成立する場合もある。

④宿泊用途

　郊外地域では、歴史的市街地や広域集客施設など特殊な立地環境に恵まれていなければ、一般に成立が難しいと考えられる。

　住宅宿泊事業法等の関係法令手続きが必要となるほか、住宅団地内での住宅の他用途への活用には、関係者との合意形成がハードルと考えられる。特に分譲集合住宅等では、住宅の施設利用が管理規約で制限されている場合もある。

⑤シェアハウス

　公共交通の利便性が高いことや近隣に大学が立地している等の条件であれば、若年世代を中心に一定の需要があると考えられる。改修に大学が関わる事例や、「女性専用」「ペット」「学生」など対象を絞った事例が特徴である。

　公的賃貸住宅等で、コミュニティ活動への参加を条件として、シェアハウスにより若年世代を呼び込み、多世代居住を促進する事例もある。

　住宅団地内では、関係者との合意形成がハードルと考えられる。

⑥集合住宅

　空室のリノベーションに内装メニュー方式やＤＩＹ方式を導入して、立地条件が不利でも若い世代や新住民を獲得している事例がある。ＤＩＹ方式では住民が集まって作業することによる、新たなコミュニティの形成も期待されている。

⑦戸建て住宅等の一般的な住宅

　全国的に、空き家バンク等による住宅の流通促進の取り組みが見られる。空き家活用を推進する団体には、地域不動産会社、鉄道会社、社団法人等がある。

⑧公園・広場等

戸建て住宅団地では、空地を敷地規模拡大や公園化等に活用する事例はあるが、計画時に一定の敷地面積や公園・緑地等が確保されている住宅団地も多いと考えられ、一般的な活用とは言えない。一方、取り立てて空地活用事例として見なされていないと思われるが、住宅団地内の空地を集合駐車場や菜園として活用する事例は一定程度見られる。

集合住宅団地では、屋外空間を見直して市民農園や交流スペースを整備するなど、団地の新しい魅力付けとしている事例がある。

全国的に、老朽危険空き家を自治体が解体した後に空地化し、跡地活用に至る事例は少ないことが課題となっている。

(2)課題解決に向けた取り組み事例の目的から
①多世代・福祉・活性化等まちづくり全般に対する総合的な取り組み

集合住宅団地や戸建て住宅団地を対象に取り組む事例のほか、複数の団地を対象とする広域的な取り組み事例がある。

鉄道沿線の高齢化や人口減少は、鉄道事業そのものや、沿線に展開する関連事業にも影響することから、鉄道会社が沿線住宅地の活性化に取り組む事例が見られる。

②多世代居住・新住民獲得を主目的とする取り組み

コミュニティビジネスの創業支援や、地域の魅力発信等により、新住民獲得による多世代居住を促進する事例がある。自治体の施策として位置付けられており、地域企業等との連携が見られる。

③高齢者・障がい者・児童等の福祉環境整備を主目的とする取り組み

地域貢献団体と建物所有者のマッチング、相互扶助の促進、地域需要に応じた高齢者住宅の整備、公営住宅を低家賃で福祉事業者に賃貸など、ソフト・ハード両面から多様な取り組みがある。

地域包括ケアシステムの構築を目指す事例には、

鉄道会社が主導する事例や、自治体・UR都市機構・大学の協働で取り組む事例がある。

④イベント等による地域の活性化を主目的とする取り組み

イベントやワークショップをきっかけとして、郊外住宅団地の活性化に取り組む事例があり、担い手は大学や自治体、商店街等様々である。

⑤まちづくりや地域活性化を支援する取り組み

自治体がコミュニティ活動を支援する体制を整え、まちづくり活動を活性化する事例がある。

⑥外国人住民とのコミュニティ形成を支援する取り組み

外国人労働者の受け入れ拡大に伴い、郊外住宅団地が外国人住民の受け皿となる可能性があり、既存住民とのコミュニティ形成が今後の課題となる。宗教施設の整備による相互理解促進の取り組みがある。

(3)事例の担い手から
公共または公的団体（都市機構、住宅供給公社等）

戸建て住宅団地では街の活性化を、集合住宅団地では新住民の獲得を主目的とした取り組みが見られる。総合的まちづくり、多世代居住、福祉環境整備など、基本的な方向を施策として位置付け、各種の支援制度や補助等により、郊外住宅団地の活性化が進められている。

公営住宅や公的賃貸住宅は住宅団地一帯の核となっており、建て替え等により一定の事業用地を生み出しやすく、郊外住宅団地の活性化を牽引していくことが期待される。

大学等教育機関

大学の授業や実践研究の一環として、大学周辺地域の活性化イベントや空き家のシェアハウス改修等に、鉄道会社や自治体等と連携して取り組む事例が見られる。交流イベントやワークショップ等は、学生の力が発揮される場面となっている。

社団法人・協同組合等

全国や首都圏など広域を対象に、既存住宅の流通や活性化等に取り組む事例や、地域企業や有志により結成された組織が、自治体と連携してまちづくりを推進する事例がある。

NPO・社会福祉法人等

ＮＰＯ、社会福祉法人、有志団体等が、地域に密着する形で空き家を活用して交流スペースやシェアハウス、宿泊施設等のコミュニティ拠点を整備し、地域の活性化に取り組む事例がある。小規模な団体が多く、フットワークの良さを活かしたきめ細かな活動が行われている。

また、住宅団地内外を含む広域的な地域活性化の取り組みや、全国的な放置空き家解消の取り組みも見られる。

民間企業

企業が地域の特性に合わせた工夫を行いながら、空き家の活用方法を提案し事業化した取り組みが行われている。賃貸住宅入居者の獲得方法、福祉施設の運営、シェアハウスの運営、団地のリノベーション等、独自のノウハウを持つ企業が活躍している。

課題解決に向けた取り組みでは、鉄道会社とそのグループ企業による各沿線地域活性化の事例が多く見られるほか、大手住宅会社による自社開発団地の活性化や、地域金融機関によるサービス付き高齢者住宅整備などの取り組みがある。

個人

地域へのこだわりや地域コミュニティへの関心が高い空き家活用事例が多く、小規模ながら地域に密着した地域活動の拠点となっている。

個人や住民グループがボランティア的に支えている場合や、コストを抑えるため自主改修している場合があり、一般に事業の継続性が課題と考えられる。

担い手育成

人口減少や住宅地の荒廃を防止し、空き家を良好な状態で維持し、適切な活用へとつなげる事が重要と考えられ、空き家の適正な管理を行う人材を育成する取り組みがある。

起業コンテストなどにより、人材を発掘・育成し、将来のまちづくりの核となる人材を育てる取り組みが見られる。

おわりに　～ 郊外住宅団地の活性化の方向性の概括 ～

　第1章から第3章まで、各地の事例や既往文献調査からの報告を踏まえ、郊外住宅団地の活性化の方向性を考えてきた。ここでは、調査を通して見られたいくつかの可能性を概括して、本レポートの結びとしたい。

● 地域コミュニティの再生

　人口減少や老朽化によってポテンシャルが低下していく郊外住宅団地においては、地域コミュニティが自身の問題として団地の活性化に取り組むことが不可欠である。毎年多発する自然災害へ備える観点からも、自治会等を中心とする地域防災力の向上が求められており、地域におけるコミュニティの重要性はますます増している。

　自治会の役員負担の軽減や間口の拡大による加入率の向上、既存地縁組織の役割を補完する目的や興味を共通とするネットワーク型コミュニティの醸成、地域住民が互いに顔を合わせる機会・場づくり、退職した高齢男性の活躍の場づくり、などの取り組みが重要となる。

● 暮らしやすさの維持・向上

　民間事業者を中心に供給されてきた交通、買い物、子育て支援、教育などの生活を支えるサービスが縮退していき、地域の持続性を低下させることが短期的な課題となる。

　全戸アンケート等による地域ニーズの把握、新規居住者への生活情報の提供、公共交通を補完する乗合タクシー、インターネットを活用した買い物の共同化、朝市の開催等を通じた適性ある事業者の誘致など、郊外住宅団地の暮らしやすさの維持・向上を図る取り組みが重要となる。

● 空地・空き家活用促進による市場性の維持

　市場性の低下する郊外住宅団地では、利用されないまま放置された空地や空き家の増加により荒廃が進み、更に周辺も含め、投資を減退させる悪循環に陥ることが懸念される。空き家の活用例としては、商業施設や宿泊施設、シェアハウス等は特殊な立地条件に依る面が大きく、交流施設の必要数は少ないため、多くの団地では小規模な福祉的利用や住宅利用に限定される。

　相続後の空き家化期間を短縮するための住民意識の啓発、空地や空き家の管理代行、地域コミュニティによる駐車場等への活用の呼びかけ、隣接敷地との2戸1化など、空地・空き家の活用を地域の魅力向上につなげ、住宅団地の市場性を維持する取り組みが重要となる。

　また、将来的に居住ニーズが見込まれず、災害リスクの高い住宅団地については、防災や福祉、インフラ維持等の社会負担を合理化する必要に迫られることから、地域の合意を形成し、住み替えを誘導する仕組みについての実践と研究の蓄積も求められる。

● 若年世代の流入促進

　例え少数であっても、若年世代の継続的な流入を図ることは、地域社会の持続性を高めることにつながる。初期入居者の子供世代（第二世代）は、その住宅団地に愛着を持ち、同級生などのネットワークも有する鍵となる世代と考えることができる。進学、就職、結婚などライフステージの変化に伴って団地から転出した第二世代が、親世代との近居を目的としてUターンする例が見られ、大規模団地では受け皿となる空地や空き家が流通しやすいことがメリットになる。

　空地・空き家の市場での流動性の向上、共働き世帯のライフスタイルに適合した住宅供給（敷地内外で2台以上駐車場を確保するなど）、子育てのゆとりを持てる広さの賃貸住宅（戸建て・共同）のバリエーションの確保、賃貸を容易にするシステムの導入、子育て世代の交流の場づくり、多様な世代の居場所づくり、世代間のネットワークづくり、などの取り組みが重要となる。

● まちの空間・機能の多様性の拡大

　居住者・空間とも均質化しやすい点が、多くの郊外住宅団地で繰り返し指摘されてきたことであ

るが、コミュニティや暮らしの多様性を実現するための、まちの空間・機能の多様性の拡大が求められる。

専用住宅に限定しない建物用途、一世帯一棟の戸建て住宅のみでない協同性のある住宅形式、住むだけでなくテレワーク化など多様な働き方に対応したシェアオフィスや作業スペースなどの働く場・小さな商いの場・交流の場の創出など、空間利用の多様性を誘導する取り組みが重要となる。

● 既成住宅団地におけるエリアマネージメントの促進

稀有な人的資源に恵まれていない限り、郊外住宅団地の活性化の担い手を地域住民のみに求めることは難しい。社会福祉事業者や、不動産業者、住宅生産事業者、公的賃貸住宅供給事業者、交通事業者などが相互にメリットを見出しながら、コミュニティの醸成に貢献している事例も見られ、地域企業の参加により、取り組みの持続性を高めることが期待される。

また、地に足の付いた具体的な問題解決が重要である一方で、個々の取り組みを束ねて編集し、中長期的な将来像を見通す、エリアマネージメントにつなげていくことが求められる。既成の郊外住宅団地におけるエリアマネージメントの取り組みは、全国的にまだ蓄積も浅く、様々な可能性が模索されている段階にあるが、総合的な視野から既製の慣習や枠組みを橋渡ししていくコーディネーターを育む取り組みが重要となる。

● 周辺地域との連携による課題解決

多くの郊外住宅団地は、周辺の既成集落や住宅地とは異質の住民と空間により構成され、登場して来た。しかし、周辺地域が団地の生活を支える機能を補完したり、若年世代の住み替えの選択肢として人口バランスをカバーしているものもあり、団地内に留まらない地域的・広域的な観点から生活サービスやコミュニティの維持を促進し、既存の地域資源を互いに生かそうとする取り組みが重要となる。

● 支援制度の確立

団塊の世代が多く入居する郊外住宅団地を中心として、今後更なる空き家の出現が予測されるが、現行の仕組みでは解体費用負担や更地化による固定資産税の増加等が空き家の解体を妨げていると考えられる。税制面や解体費補助等の支援制度や、解体後の土地利用を促進する仕組みが求められる。

郊外住宅団地の活性化の担い手を育成する支援制度の充実が課題となる。全国的な人口減少を背景に地方自治体財政も圧迫されていく中、広島市のように地域の担い手を支援するソフト施策に注力し、コストを抑制しつつ、事例の数とスピードの増加を図る取り組みは、一つの方向性を示していると考えられる。また、「広島郊外住宅団地ネットワーク」などの団地間の連携と幅広い視点を得る取り組みは重要であると考えられる。

施策の展開にあたっては、一つの成功例を他の住宅団地にも適用できるケースは稀であり、それぞれの住宅団地によって個性が異なることを十分踏まえる必要がある。

● 多様化するコミュニティとの共生

国の政策として外国人労働者の受け入れを拡大する方針であることから、空洞化した郊外住宅団地の新たな居住者として外国人住民が想定されるケースもあり得る。既に郊外の賃貸集合住宅団地では、多くの外国人住民を見かけることが珍しくなくなりつつある。また、極めて特殊な例としては、岩国基地沖合移設と合わせ、山口県岩国市郊外に新住宅市街地開発事業により整備開始された愛宕山地区が、その後の需要の変化等を踏まえ、大幅に事業を見直し、地区の一部が米軍家族住宅団地と地域住民の利用可能な運動施設として整備されている。

文化や宗教の異なる外国人コミュニティの受け入れは、既存の地域コミュニティとの様々な摩擦を引き起こすことも考えられ、双方にとって望ましい共生のあり方を支援する居住環境整備や相互理解の促進が求められる。

資料編

● 郊外住宅団地の活性化に資する取り組み事例　データシート

● 参考文献リスト

A. 空地・空き家活用事例　データシート

分類1	建物用途：	①交流：交流スペース・コミュニティルーム等	③商業：個人店舗・テナント店舗等商業用途	⑥集住：集合住宅等
		②福祉：高齢者・障がい者・子育て支援等福祉用途	④宿泊：ホテル・ゲストハウス等宿泊用途	⑦一般：戸建て住宅等の一般的な住宅用途
			⑤シェア：シェアハウス等	⑧公園：建物除却等による公園・広場等
分類2	事業主体：	公：公共または公的団体　　学：大学等教育機関　　法：社団法人・協同組合等　　非：NPO・任意団体等　　民：民間企業　　個：個人		
分類3	立地環境：	戸建団地：戸建て住宅主体の団地　　集合団地：集合住宅主体の団地　　混在団地：集合住宅と戸建て住宅が混在する団地	郊外地域：集合や戸建てが混在する一般的な住宅地　　広域：複数の住宅団地を対象とする総合的な取り組み	

事例番号	分類1(用途)	分類2(主体)	分類3(立地)	名称	取り組み内容	所在地	事業主体	公的支援	概要	文献番号
A01	①交流	個	郊外地域	こすみ図書	自宅兼小規模図書館兼交流スペース	東京都墨田区向島	個人		1戸建ての賃貸。商店街に面するお茶屋さんをリフォーム。自宅の1階部分を図書スペース兼交流スペースとして解放。2016年向島から岩手県千厩に移設。	301
A02	①交流	法	郊外地域	小林ふれあいの家	支え合い活動拠点	東京都世田谷区用賀	社会福祉法人世田谷区社会福祉協議会		個人から寄贈された1戸建ての家屋をリフォーム。ミニデイサービス1団体、サロン3団体、子育てサロン1団体が活動。ボランティア雄志により花壇の植え替え、除草等の活動。	301
A03	①交流	個	郊外地域	シェア奥沢	敷地内の離れを利用したシェアスペース	東京都世田谷区奥沢二丁目	主宰：個人支援：エコライフめぐろ推進協会		同一敷地内の離れを開放して、複数の登録団体の活動の場や演奏会、講演会などのシェアスペースとして活用。利用者が協力して修繕や庭の手入れを行っている。	303
A04	①交流	非	郊外地域	尾道 地域交流スペース	空き家の商店を活用した地域交流スペース	広島県尾道市	NPO法人尾道空き家再生プロジェクト		空き家の商店を、家づくりを学ぶ場として、地元の有志の協力でNPO法人尾道空き家再生プロジェクトの活動拠点として改修。	308
A05	①交流	個	郊外地域	コミュニティレストラン「のら」・シェアオフィス「ばばらぼ」	空き家となった実家の活用	埼玉県さいたま市	個人		空き家となった実家の活用策として、単なる貸し家業ではなく、コミュニティスペースとなる用途として、知人の提案に賛同して、コミュニティレストランとシェアオフィスとして改修し、地域に貢献。	312
A06	①交流	学	郊外地域	高崎経済大学0号館プロジェクト	大学近隣の空き家を活用し、地元住民と学生の交流の場を提供	群馬県高崎市	高崎大学	高崎市助成金	築100年ほどの古民家を改修して、学生や住民が立ち寄れるスペースに改修。Wi-fiや充電コンセントを整備し、自習や会話の場として使いやすくしている。	321
A07	①交流	非	郊外地域	地域交流施設「新屋参画屋」	大正時代の建築を改修した地域交流施設	秋田県秋田市新屋表町	NPO法人新家参画屋		歴史的な街並みが残る「新家表町通り」のシンボルであった大正時代の建造物である「三角屋」を地域の交流の場として保存活用。	520
A08	①交流	個	郊外地域	ジュピのえんがわ	古民家を改修したコミュニティサロン	神奈川県横浜市金沢区	個人	金沢区地域の茶の間支援事業助成金	子供の居場所である駄菓子屋を核とする、多世代が立ち寄れるコミュニティサロン。地域ケアプラザの出前講座や、地元野菜の販売、交流イベントを開催。	601
A09	②福祉	個	郊外地域	広島 放課後等デイサービス「ハピネス」	農家を自宅兼放課後デイサービス施設に改修	広島県安芸郡坂町	個人		古民家の1階を事業所に、2階と納屋、牛舎を自宅に改修工事費を抑えるため、自分でできる部分は自分で工事、主要な部分は大工さんが工事。	308
A10	③商業	民	郊外地域	逗子シェアアトリエ「サクラ部」	廃工場を活用したシェアアトリエ	神奈川県逗子市桜山	エンジョイスタイル（株）エンジョイワークス		売りに出された廃工場について、アトリエをもとめてるクリエーターと投資家を集めたミーティングを行い、プロジェクトを実現。	306
A11	⑤シェア	学	郊外地域	KGU空き家プロジェクトシェアハウス「びわの木テラス」地域サロン「おっぱまのま」	大学のある地域の空き家を活用した学生のシェアハウスと地域サロン	神奈川県横須賀市	関東学院大学	横須賀市助成金	卒論のテーマから地域の空き家を学生の住まいにというアイデアが生まれ、調査で出会った家主の信頼を得て、地元工務店等の指導で、学生が改修工事に参加し「びわの木テラス」が完成。続いて、お寺の境内の空き家をコミュニティスペースとして増築改修し「おっぱまのま」が完成。	321
A12	⑤シェア	非	郊外地域	出羽島プロジェクト実績シェアハウス「充電ハウス」・「渋家」	高知市内の空き家をシェアハウスとしてリフォーム	高知県高知市	高知空き家活用団体		「充電ハウス」：築40年の一軒家を補修・改修。シェアハウスとして活用した後イベント会場等に活用する場所に。「渋家」：高知大学に近い女性専用シェアハウス。家具家電付き。DIYで改修し、現在もDIY継続中。	321
A13	③商業	個	郊外地域	飲食店「のと×能登」	空き店舗を活用した店舗兼自宅	石川県輪島市	個人	移住定住奨励金・賃貸住宅改修費用補助	輪島の塩の生産販売会社の経営をしつつ、輪島の食材を使った食堂や塩の販売店を開業。朝市とおりに面する空き店舗を賃貸。	309
A14	③商業	個	郊外地域	古民家活用の居酒屋「居酒屋弥三郎」	古民家を改修した居酒屋	石川県金沢市	個人		築90年の古民家を改修し、居酒屋を開業。東京からのUターン。	309
A15	③商業	公	郊外地域	空き家活用店舗	老朽化した長屋を改修した店舗	広島県庄原市	広島県庄原市	空き家再生等推進事業	市街地中心部にある「紅梅通りまちなか広場」に面する老朽三軒長屋を改修し、コミュニティレストランや特産物版場あを行う店舗、展示・交流スペースとして活用。	503

事例番号	分類1 (用途)	分類2 (主体)	分類3 (立地)	名称	取り組み内容	所在地	事業主体	公的支援	概要	文献番号
A16	④ 宿泊	非	郊外地域	尾道ゲストハウス「あなごのねどこ」	町家を改修した地域交流スペースとゲストハウス	広島県尾道市	NPO法人尾道空き家再生プロジェクト		元呉服屋の町家を改修して、カフェ・交流スペース・本と音楽の部屋からなる地域の交流施設とゲストハウスとしたもの。	308
A17	④ 宿泊	非	郊外地域	尾道 ゲストハウス「みはらし亭」	築100年の有形登録文化財を改修したゲストハウス	広島県尾道市	NPO法人尾道空き家再生プロジェクト		元旅館であった築100年の登録文化財をゲストハウスに改修尾道空き家再生プロジェクトの拠点としてイベントも開催。	308
A18	④ 宿泊	公	郊外地域	五條市滞在体験型観光施設「前坊邸：旅宿やなせ屋」	町家の離れと蔵を改修した宿泊施設兼イベント会場	奈良県五條市	奈良県五條市		重要伝統的建造物保存地区に指定されている「新町地区」のシンボルとして民家を改修した「街並み伝承館」に隣接する町家の離れと蔵を改修した宿泊施設兼イベント会場。	503
A19	⑧ 公園	公	郊外地域	隣地拡大による空き家の解消	民間事業者による2戸1化し、「立地適正化計画」を起点に町全体を見直し、空き家解消や街の活性化を計画	埼玉県毛呂山町	埼玉県毛呂山町		戸建ての狭小宅地について民間不動産会社が「隣地の空き家との2戸1化」による適正化で約230件の実績があるが、高齢化等により頭打ちとなっている。「敷地単位」から「まち全体」での課題解決のため、「立地適正化計画」を導入し、さらに大学との連携による「住宅から他の用途へのリノベーション」、バス路線等「公共交通の再検討」・空き家の利活用の取り組み等を計画。	403
A20	⑧ 公園	公	郊外地域	空き家敷地の公園活用	老朽空き家を取り壊し、跡地をポケットパークに活用	福井県越前町	福井県越前町		不良空き家住宅を除却し跡地にポケットパークを整備することにより、防災・衛生面で住環境の改善を図る。 町単独事業により、H19～23年度で12件程度実施。	503
A21	⑦ 一般	民	郊外地域	地元密着型の多角的コンサルティング	「管理」「仲介」だけでなく、住環境の向上を目指したサービスの展開	福岡県福岡市	三好不動産(株)		高齢者や転勤者所有の空き家の管理等のサポートサービス。外国人スタッフの採用による外国人留学生への賃貸斡旋や入居後の生活支援体制の構築。 介護賃貸住宅NPOセンターが生活サポートする条件で、入居が困難な高齢者と空室オーナーとの間を調整。ホームレスの一時収容施設の開設。	509
A22	⑦ 一般	民	郊外地域	総合不動産コンサル	ワンストップでオーナーの悩みを解決する不動産総合コンサルティング	福岡県	吉原住宅(有) (株)スペースRデザイン		経営コンサル、マーケティング企画、設計デザイン、工事監理、プロモーション、ビル管理等を総合的に提供する体制の構築。リノベーション住戸の自主営業やDIY改修等による需要開拓。リノベーション住戸の展示イベント、オーナー井戸端会議、研究会等によるリノベのネットワークを構築。	509
A23	⑥ 集住	民	集合団地	新たな日常の場づくりとしてのリノベ	一棟丸ごとリノベーションやシェア型賃貸住宅等でコミュニティを提供	首都圏	(株)リビタ		(株)都市デザインシステムと東京電力のJVとして設立 旧社宅の一棟リノベーション、UR団地をシェア型賃貸として再生、有休不動産を宿泊・飲食・シェアスペース・店舗等からなるシェア型複合ホテルに再生等の事業を展開。	509
A24	⑤ シェア	民	郊外地域	産学官連携によるシェアハウス	京急電鉄・横浜市立大学・金沢区が連携して若者に魅力ある住まいを提供	神奈川県横浜市金沢区	東急電鉄 横浜市立大学 金沢区		横浜市立大学：「ヨコイチ空き家利活用プロジェクト」で金沢八景キャンパス周辺の空き家調査・空き家活用推進。 金沢区：地域との調整・相談窓口・活動のバックアップ。 京急グループ：学生の実習をフォロー・空き家オーナーへのアプローチ・住居のリノベーション・入居者募集・運営管理。	601
A25	⑦ 一般	民	郊外地域	アキサポ	空き家活用の全面サポート	首都圏	(株)ジェクトワン 地域コミュニティ事業部		空き家活用のプランの提案。 リフォーム費用の全額負担。 賃借人・利用者の募集。 賃料の一部を持ち主に還元。(サブリース?) 建物管理・トラブル対応。	WEB収集
A26	⑦ 一般	非	広域	NPO空家・空地管理センター	魅力ある空き家管理の提供により放置空き家を無くす	埼玉県所沢市 東京都新宿区	NPO空家・空地管理センター		空き家管理における法律問題、メンテナンス等さまざまな分野について一括して対応。 独自資格「空き家管理士」制度で一定のスキルを持った人材を育成。 関東地方主体から、全国へ展開。	304
A27	⑧ 公園	公	広域	市民緑地認定制度	市民緑地認定制度の紹介と解説	全国	国交省		市民緑地認定制度の解説と活用イメージの紹介・緑地の管理運営イメージの紹介・公共団体と連携する民間団体を公的に位置づける制度・支援措置の概要その他。	401
A28	⑦ 一般	法	広域	移住・住み替え支援機構	マイホーム借り上げ制度により住宅を社会の財産として長く活用	東京都千代田区	(一社)移住・住み替え支援機構		50才以上のシニアを対象として、マイホームを借り上げて転貸することにより、安定した家賃収入を保証。高齢者住宅財団に債務保証基金による借り上げ。住み替え先の住宅購入、既存住宅ローンの借り換え等のため、機構の提携するローンを用意。ハウジングライフプランナー資格を設け、住み替え先や資金等をアドバイス。	304
A29	⑦ 一般	法	広域	かせるストック認定	耐震性の確保と賃貸価値を認定することにより住宅の世代循環を促進する。	東京都千代田区	(一社)移住・住み替え支援機構（略称：JTI）		JTIが行っている、50歳以上のシニアを対象に所有住宅を借り上げ、賃貸住宅として転貸する「マイホーム借り上げ制度」について、一定の耐久耐震基準を満たし、メンテナンス体制を備えた新築住宅を「かせるストック」として認定し、50歳の年齢制限前に「マイホーム借り上げ制度」を利用可能とする制度。耐震性の確保と賃貸価値を「見える化」することにより住宅の世代循環を促進。	403
A30	⑤ シェア	民	郊外地域	ペットと暮らすシェアハウス	ペット共生シェアハウスによる空き家活用	首都圏	ハウズー(株)		ペット可「HOUSE-ZOOシェアハウス」の運営・管理 既存住宅の有効利用の企画提案・運営管理 ペットと暮らす住環境のリフォーム・賃貸住宅の管理 安全なシェアハウスの普及・活動コンサルティング業務 ペットのよりよい住環境に対する普及・活動。	WEB収集
A31	⑦ 一般	民	郊外地域	空き家を内装費負担でサブリース	築30年異常の空き物件を借り受け、改修した上で6年間サブリース。	神奈川県横浜市	(株)ルーヴィス		木造アパート・マンション・戸建て・長屋・ビル・店舗・倉庫等あらゆる建物に対応し、1室からでもOK。 契約期間6年間。サブリースとしてメンテナンス・入居者募集・トラブル対応等、無償で対応。 賃料の10%をオーナーに支払い。④年目以降も継続可能。	WEB収集
A32	② 福祉	非	郊外地域	福祉のまちづくり空き屋バンク情報センター	空き家を福祉施設として活用する、地域に根ざした施設づくり	徳島県鳴門市	NPO法人 空き屋バンクで福祉のまちづくりを考える会		市内の空き家の増加に伴う、空き家対策の一環として、空き屋バンクを利用し、福祉のまちづくり活動に取り組む人と、空き家所有者の間をコーディネイトし、空き家対策の促進と、福祉のまちづくりの推進を行っている。 活用事例：民家を再生した宅老所・障害者支援活動拠点等。	301

事例番号	分類1（用途）	分類2（主体）	分類3（立地）	名称	取り組み内容	所在地	事業主体	公的支援	概要	文献番号
A33	②福祉	民	郊外地域	住宅型有料老人ホーム「介護の王国」	住宅型老人ホームのフランチャイズ	神奈川県	インキュベクス（株）		土地建物所有者と、住宅型老人ホーム事業者とのマッチング、および、建物改修、入居者募集、スタッフ募集等のコンサルティング。	311
A34	②福祉	公	郊外地域	戸建て子育てりぶいん	横浜市が空家を借り上げ子育て世帯用住宅として家賃を補助	神奈川県横浜市	神奈川県横浜市		従来からある共同住宅の「りぶいん」を戸建住宅に拡大。子育てに適した環境や仕様が一定の基準を満たしている住宅を対象に、収入に応じて家賃の一部を市が補助。市が指定する「管理業務者」が住宅所有者と市との間の申請や認定、所有者と入居者の間の契約等をサポート。	601
A35	②福祉	非	集合団地	ぐるんとびー駒寄	UR賃貸団地の住戸を借り、小規模多機能ホームを運営。地域に開いた施設づくり	神奈川県藤沢市	ぐるんとびー（NPO申請中）		施設フロアーではなく団地の住戸を賃貸して施設を運営。藤沢市の応援を得てURを説得。玄関ドアを開放し誰でも自由に出入りできるようにして、子供達集まり、大人のコミュニケーションの場ともなっている。TV放送では施設のスタッフも団地に住み、コミュニティに溶け込んでいることが紹介されていた。	WEB収集
A36	②福祉	民	集合団地	ゆいま〜る高島平	UR賃貸団地の空き住戸を借り、分散型の「サ高住」を運営	東京都板橋区	（株）コミュニティネット		URの団地活用「ルネッサンス計画」とコラボし、団地内に点在する空家を「サ高住」として活用。別棟1階の店舗フロアーにオフィスを設けスタッフの拠点としている。高齢者が多世代の中に住むことで、地域とのつながりを感じながら生活できる。	WEB収集
A37	⑦一般	法	広域	住宅インスペクションと提携した既存住宅流通促進	住宅の現状の検査を行った上で、保証付き住宅として他との差別化を図る。	全国（各県に地方本部）	（公社）全日本不動産協会		住宅所有者から売却相談を受けた際に、インスペクション業者を斡旋し、検査後売却活動を開始する。検査結果を買い主に重要事項として説明し、売買契約時に物件の現状について書面を交付する。既存住宅瑕疵担保保険も可能。住宅インスペクション普及のため研修を全国で実施。	522
A38	⑥集住	民	集合団地	ホシノタニ団地	閉鎖した社宅をリノベーションして賃貸住宅に。都市住宅学会賞・グッドデザイン賞受賞	神奈川県座間市	小田急電鉄		（株）ブルースタジオ。団地全体のストーリーに基づいた外構デザイン。広場・カフェ・サポート付き貸農園・子育て支援施設・ドッグランなどまちに開く仕掛けによる魅力づくり。入居者の個性が活かせるシンプルな室内デザイン。	224
A39	⑥集住	公	集合団地	泉北ニュータウンDIYリノベーション再生	団地の活性化手法としてDIY賃貸住宅を導入し、若年層を含む新たな住民の獲得に取り組む。	大阪府堺市泉北ニュータウン茶山台団地	大阪府住宅供給公社		大阪府・堺市・関係団体が構成する「泉北ニュータウン再生府市等連携協議会」でニュータウン再生を検討する中で、公社の団地再生の取り組みの一つとして「DIYスクール」を開催し、その後国交省の「借り主負担型DIY賃貸借ガイドライン」を適用し「支援付きDIY募集プラン」を開始し、少数ながら応募を獲得。さらにニーズを広げるため2戸1一体型の大型住宅を「ニコイチ」ブランド化し、応募倍率5〜④倍となる。その他にて集会所を「茶山台としょかん」に改修し、コミュニティスペースとしての利用を促進している。	403
A40	⑥集住	公	集合団地	二宮団地リノベーション	内装メニューのひとつとして小田原杉を使ったリフォームやDIY対応プラン、オープンな共用スペースや体験農園等による団地再生	神奈川県中郡二宮町	神奈川県住宅供給公社		内装デザインを選択できる「マイリノベーション」（セレクトプラン）の一部に小田原杉を使った内装等を用意。一部の住戸では内装無しの状態からDIYで内装を行い、退去時の現状回復義務を無くしDIYを行いやすくしている。団地内商店街の空室を利用して「コミュニティダイニング」を解説し、住民のコミュニケーションスペースとして解放している。団地内や周辺の空き地を利用した米作りや芋掘り大会など屋外体験も積極的に提案している。	WEB収集
A41	⑥集住	公	集合団地	UR千島団地リノベーション	高層住宅団地で、募集住戸を全てDIY可能とし、団地内にDIY基地となる専門店を設けてDIYによる団地再生を進めている。	大阪府大阪市大正区	UR都市機構		大正における空家活用の取り組みの一環として、区とURが連携し、DIY専門点「壁紙屋本舗」の協力を得て、DIYによる団地再生を進めている。団地内にDIY拠点となる「壁紙屋本舗ラボ」を開設し、DIYで部屋を作る人やDIY好きが集まり、新しいコミュニティが発生している。	WEB収集
A42	②福祉	公	集合団地	大阪府営住宅ストック活用事例集	府営住宅の空室を福祉施設等に活用し、周辺地域住民の暮らしをサポート	大阪府府営住宅	大阪府住宅まちづくり部 住宅経営室施設保全課		府営住宅の空室を低家賃で福祉事業者に賃貸。子育て支援・高齢者障害者支援・若者の職業的自立支援等。建て替えや住宅の集約が生み出した土地に、福祉施設・医療施設・高齢者住宅・生活支援施設等を建設。	230
A43	①交流	非	郊外地域	さくら茶屋にししば	横浜市の「ヨコハマ市民まち普請事業」補助金によりコミュニティカフェ「さくら茶屋」をオープン。その後「さくらカフェ」をオープンし「認知症カフェ」「さくら食堂」等を開催	神奈川県横浜市金沢区西柴	NPO法人にししば	ヨコハマ市民まち普請事業補助金	西芝地区で福祉サービスを行ってきたNPOが、交流の拠点作りのため「ヨコハマ市民まち普請事業」のコンテストに応募して合格しコミュニティカフェをオープン。「ランチやカフェ」「レンタルボックス」から収益を得る他「子供達の朝塾」「大人の夜話」「趣味の教室」等のコミュニティのイベントの場として活用。「買い物支援」「介護予防集会」「ポールウォーキングイベント」「広報誌配布」等の生活支援やコミュニティ活動も展開。	403

B. 課題解決に向けた取り組み事例　データシート

分類1	取り組み の目標:	①総合：多世代・福祉・活性化等まちづくり全般に対する総合的な取り組み ②多世代：多世代居住・新住民獲得を主目的とする取り組み ③福祉：高齢者・障がい者・児童等の福祉環境整備を主目的とする取り組み	④活性化：イベント等による地域の活性化を主目的とする取り組み ⑤活動支援：まちづくりや地域活性化を支援する取り組み ⑥多文化：外国人住民とのコミュニティ形成を支援する取り組み
分類2	事業主体：	公：公共または公的団体　学：大学等教育機関　法：社団法人・協同組合等	非：NPO・任意団体等　民：民間企業　個：個人
分類3	立地環境：	戸建団地：戸建て住宅主体の団地 集合団地：集合住宅主体の団地 混在団地：集合住宅と戸建て住宅が混在する団地	郊外地域：集合や戸建が混在する一般的な住宅地 広域：複数の住宅団地を対象とする総合的な取り組み

事例 番号	分類1 (目標)	分類2 (主体)	分類3 (立地)	名称	取り組み内容	対象地域等	事業主体	公的支援	概要	文献 番号
B01	① 総合	民	広域	鉄道会社による「リノベ＋サブリースによる空き家対策」	沿線地域の空き家を借り上げ改修してサブリース	首都圏	関東の私鉄各社		京急電鉄：(株)ルービスと提携した「カリアゲ京急沿線」オーナー負担なしで改修6年間サブリース。その後はオーナーが賃貸。相模鉄道、小田急電鉄も同様の取り組み。オーナーは賃貸経営の経験が無くても自己負担無しで、新築と競合しうる収益物件にできるメリットがある。	WEB 収集
B02	③ 福祉	法	戸建 団地	活用支援PFデザイン	共生の家づくり支援のための活動と人材ネットワークづくり	東京都世田谷区	(一財)世田谷トラストまちづくり		子供達の居場所・子育て支援・高齢者や障害者の支援・地域のまちづくり・地域の交流等の公益的なまちづくり活動を、建物のオーナーによる取り組みを支援。地域貢献団体と建物所有者をマッチング。地元の金融機関・設計事務所・不動産外車等の熱とワークによる支援。	509
B03	③ 福祉	民	郊外 地域	イニシアチブによる「サ高住」整備	地域の金融機関による現状把握を元にした地域需要に対応する高齢者住宅の供給	鳥取県米子市	米子市 米子信用金庫		信用金庫が実施した地域の現状調査とアンケートから、高齢者の居住需要を見いだし、その需要の受け皿として「サ高住」を設備。全国市街地再開発協会の「街なか居住再生事業」を利用。サブリース会社を利用した家賃保証と地元医療法人から賃貸し入居者に転貸。	509
B04	② 多世代	公	戸建 団地	ごうつビジネスプラン・コンテスト	コンテストにより創業を志す人材と企業を誘致し支援する仕組みり	島根県江津市	島根県江津市 運営：NPOでごうネット石見		過疎地域の課題解決型ソーシャルビジネス等創生支援事業によるビジネスコンテストを開催。受賞者は1年間は市内で活動することが条件で、定住移住し起業。公共では行き届かない分野のソーシャルビジネスや地域資源を活用するコミュニティビジネスの創業を支援する。	518
B05	① 総合	非	広域	千里・住まいの学校	住民・専門家・大学・事業者が住まいのサポートと街の再生について考え、行動し、提案	大阪府豊中市・吹田市 千里ニュータウン	NPO法人　千里・住まいの学校		住まいのセミナー＆相談会の開催。街歩きイベントの開催。全国のニュータウン住民と交流する「緑卓会議」。高齢者施設やコーポラティブ住宅等の見学会の開催。ホームページの運営。	226
B06	① 総合	公	広域	広島市住宅団地の活性化に向けた取り組み	人口減少や高齢化等の課題を持つ丘陵部の戸建て住宅団地について「活性化に向けた方策」をとりまとめ先導施策を展開	広島県広島市	広島県広島市		学識・住民・関係事業者等の研究会で「住宅団地の活性化に向けて」をとりまとめ、課題解決のための14項目の方策を設定。各方針を実現し活性化を牽引するために「まるごと元気住宅団地活性化補助」「住宅団地の空き家への住み替え促進」「三世代同居・近居支援」「高齢者地域支え合い」モデル事業」「協働労働モデル事業」「乗り合いタクシー党導入支援」「老朽化空き家対策」を先導施策として実施。	403
B07	① 総合	公	広域	泉北ニュータウン再生の取り組み	開発から50年が経過し様々な課題を持つ泉北NTについて「泉北NT住宅リノベーション協議会」を設立しソフト・ハード一体で取り組み	大阪府堺市	大阪府堺市		建築家・不動産業者・まちづくり専門家・大学・NPO法人党による協議会を設立。空き家活用促進、住宅性能評価、金融商品開発等による「戸建て住宅ストック流通促進」、リノベーション普及活動を通した「戸建て住宅ストックの利活用の啓発」、「SNS等での情報発信による「泉北スタイル普及促進」等の取り組みを推進。	403
B08	① 総合	民	広域	電鉄各社沿線での取り組み	沿線自治体と連携する暮らしや住まいの支援サービスの提供、自治体が実施する各種事業への参加により、沿線の活性化を通して自	首都圏・近畿圏 各電鉄グループの沿線エリア	小田急グループ 近鉄グループ 京王グループ 相鉄グループ 東急電鉄		共通事項として、①シニア住宅や優良老人ホーム等の供給、見守り、家事代行等のシニア向けサービス。②子育て世代向け賃貸住宅、キッズ施設等の子育て支援。③シニア層の持ち家、駅前シニア住宅、子育て世代向け賃貸住宅、中年層の持ち家を循環させる住み替えサイクルの事業化。④若者向けシェアハウス等。	403
B09	① 総合	民	広域	近鉄グループによる団地再生に向けた取り組み	近鉄沿線で開発してきた住宅団地の再生のため、生活応援・既存住宅流通促進・リフォーム・仮装地域通貨の社会実験等の事業を展開	近畿圏 近鉄戦沿線地域	近鉄グループホールディングを中心とする、鉄道・運輸・不動産・流通・ホテル・情報・保険等		生活応援事業として無料のコールセンターでグループの生活関連情報補提供。生活関連サービスとして「楽タクサービス」「子育てタクシー」を多世代に展開。住まいの活用として多世代が住み替える「住み替えサイクル構想」を立案。住宅流通促進として「インスペクション（住宅診断）」「子育て世代対象の住み替えバスツアー」「奈良地域移住プロジェクト」「住宅リフォーム市場の環境整備」「住宅ストック維持向上促進」「仮装地域通貨ハルカスコインの社会実件」等を展開。	403
B10	① 総合	公	広域	兵庫県におけるニュータウン再生の取り組み	ニュータウン再生ガイドラインにより再生のプロセスを示し、各種の支援事業により地域や自治体の取り組みを支援	兵庫県	兵庫県県土整備部		ガイドラインでは、団地再生の必要性・目指すべき方向性・団地再生の進め方（ステップ1〜3）を示して地域に合わせた再生を方向付け。再生を支援する事業として、再生コーディネーター派遣・再生計画等支援事業・転入者住宅改修工事利子補給・子育て向け賃貸住宅供給支援・高齢者住み替え支援・域学連携促進等の事業を実施。兵庫県ニュータウン再生推進協議会を設置し、課題の抽出や対応策の検討を行う。	403
B11	① 総合	公	混在 団地	明舞団地再生の取り組み	明舞団地再生計画の下に明舞まちづくり委員会を設立し、リーディングプロジェクトの実施、交流拠点・シェアハウス・地域サービス拠点づくり等を推進	兵庫県明石市	兵庫県		平成16年に「明舞団地再生計画」を策定し、平成19年に改訂、さらに平成29年「明舞団地まちづくり計画」を策定。エリアマネジメントのため、団地住民・事業主・地権者・行政等が一同に会する「委員会」を設立。リーディングプロジェクトとして、センター地区および県営住宅を計画的に再生。さらに交流拠点「街なかラボ」・地域活動に参加する学生に対する県営住宅を活用した「シェアハウス」・空き店舗に地域サービスを担う「NPO誘致」等を展開。	403

事例番号	分類1(目標)	分類2(主体)	分類3(立地)	名称	取り組み内容	対象地域等	事業主体	公的支援	概要	文献番号
B12	①総合	公	戸建団地	大分市ふるさと団地の元気創造推進事業	モデル団地でのワークショップと地元と市の合同会議から取り組みメニューを作り、市が担当する「公助」住民の共同による「共助」個人で取り組む「自助」として一定の成果	大分県大分市	大分県大分市		公助として、「子育て世帯の住み替え家賃補助」「住み替え情報バンク」「ふるさと団地空き家等購入支援補助金」「中央公園にあずまや設置」を事業化。共助として、「住民の共同作業による中央公園の芝生化」「空き家を自治会が借り上げる第2公民館」を実施。自助として、「自宅開放ギャラリー」「団地発見ウォーキング」「乗り合いタクシー」の実施。結果として空き家88%解消、空き地21%解消、新規住宅建設46件の戸数拡大の成果があり、第2モデル団地での取り組みに進んでいる。	403
B13	①総合	非	集合団地	グリーンオフィスさやま	安心して楽しく暮らし続けられるまちとコミュニティづくりに取り組む事業母体	埼玉県狭山市新狭山ハイツ	NPO法人 グリーンオフィスさやま		緑化推進・生ゴミやアルミ缶リサイクル等の環境保全事業。コミュニティカフェ・楽農クラブ・手作り工房等地域活性化事業。情報工房・編集工房・映像工房等情報化支援事業。有償福祉サービス・福祉活動相談講演等福祉活動支援事業。管理組合活動の支援等住宅管理支援事業。	226
B14	①総合	公	集合団地	男山地域再生の取り組み	関西大学・UR都市機構・八幡市で「男山地域まちづくり連携協定」を締結し、大学の提案を柱として現在のストックを活用した取り組みを進めている。	京都府八幡市男山地域	関西大学 UR都市機構 京都府八幡市		「連携協定」により行政とUR都市機構の連携体制が整い、大学による団地再生の提案を柱として各種の取り組みを行っている。①「だんだんテラス」「男山やってみよう会議」等のソフト施策②「リノベーション住戸の供給」「おひさまテラス」等の子育て支援③「地域包括ケア施設」「健康寿命サポート住宅」等高齢化対応④「こころタウン」「屋外空間の魅力UP」等の愛着を持って暮らせる仕組み作り。	403
B15	①総合	公	戸建団地	竜王団地再生事業	竜王団地の現状把握を行い、空き家の流通促進や生活支援サービスの提案、相談体制の整備により、団地の再生・活性化の枠組みづくり。	徳島県徳島市・石井町	徳島県住宅供給公社		関心が高い住民が中心となり、自治会・民生委員・福祉法人・公社が参加する「これからの竜王を考える会」を発足。委託調査として「住民アンケートの実施」「支援サービス運営計画立案」「支援サービスモデル計画案作成」「空き屋バンクの構築」「リフォーム相談窓口および空き家管理サービスの構築」を計画。その他に「耐震化講習会」「リフォーム講習会」を実施。	403
B16	①総合	法	集合団地	団地再生事業協同組合	団地再生に関する物件紹介・設計・施工・インテリア・ローン相談等ワンストップでサポート	東京都港区	団地再生事業協同組合		多様な需要に対応した住環境の更新。ストック活用による住み替え。高齢者や子育て世代へのサービスの充実。地域で働ける身近なビジネスの創出を提案。	WEB収集
B17	①総合	非	戸建団地	松園ニュータウン・二地域居住等推進研究会	高齢化や人口減少対策として、空き家を活用する二地域居住を推進するための調査	岩手県盛岡市松園地区	松園ニュータウン・二地域居住等推進研究会		地域住民へのアンケート調査および空き家の実態調査の実施。空き家の空き家活用および家庭内菜園・農業モデルの作成。地区内および中心地の生活支援施設との連携調整。首都圏居住者との意見交換会の開催。ホームページ「松園住み替え相談室」の運営。	226
B18	②多世代	公	戸建団地	北海道北広島団地の活性化	団地の活性化に向け「北広島団地イメージアップ事業」を立ち上げ、動画作成・団地内ツアー・愛称等の制作などのイベントを展開	北海道北広島市	北海道北広島市		高齢化が進む北広島団地地区に若い人を呼び込み、新たな人の流れを作るため、様々なコンテンツを展開。イメージアップ動画により、団地の魅力を見える化。団地地区の愛称「きたぴまち」の銘々やロゴマークの制作。「北広島オーダーメードツアー」による、空き地空き屋の紹介活用促進・移住促進等の活動。魅力発信動画コンテスト・魅力体感イベント等の開催。	403
B19	②多世代	法	広域	三木市生涯活躍のまち構想	様々な世代の移住の促進と多世代が交流し生きがいを感じるまちづくり	兵庫県三木市	兵庫県三木市		内閣総理大臣の認定を受けた生涯活躍のまち構想を推進するため、三木市生涯活躍のまち推進機構を設立。健康ステーション設置、多様な働き方の研究、フレイル予防、移住定住促進等のプロジェクトを実施。住民交流スペース「サテライト」を開設。	214
B20	②多世代	民	戸建団地	緑が丘ネオポリスにおける戸建て団地再生の取り組み	郊外戸建て団地の開発事業者らが連携し「郊外型ライフスタイル研究会」を設立。各種生活支援サービスを成立させるプラットフォームの構築を目指す	兵庫県三木市	大和ハウス工業(株) 兵庫県三木市		三木青山地区の立地から、「高齢者が安心して住み続ける街」と「若年層が流入して住み続ける街」の2つを再生方向とし、多世代が永続的に暮らす街を目標とする。高齢者のための「宅配給食」「家事支援」見守り」サービスや若年層のための「子育て支援」サービス等の施設を徒歩圏内に立地するため、これらのサービス事業者の「コスト」「担い手」等の課題を解決するための「サービスプラットフォーム」を構築し、事業者の負担を軽減して立地を促進する。	403
B21	②多世代	公	集合団地	町田市鶴川団地と周辺地区再生方針	鶴川団地と周辺地域の現況把握と再生へのアクションの提案	東京都町田市鶴川団地および周辺地区	町田市 町田市鶴川団地の団地再生に向けた地域検討会		「多世代が一緒に住めるまち」を実現するためのアクションの3つの柱として「魅力づくり」「子育て支援」「高齢者支援」を掲げ、これに基づき短期・中期・長期に取り組むアクションのステップとして例示。目標達成のため、48種類のアクションプランを設定。	224
B22	③福祉	公	郊外地域	地域包括ケア「あおばモデル」	医療職と介護職が連携して高齢者の在宅生活を支える仕組み作り	神奈川県横浜市青葉区	横浜市		東急電鉄と横浜市が進める「次世代郊外まちづくり」の一環として、超高齢化社会に対応するための地域包括ケアシステムの構築への取り組み。①あおば地域のケア資源マップの構築。②他職種連携クラウドシステムの構築。①②を活用し在宅医療を軸としたモデル構築。	206
B23	③福祉	非	広域	地域生活支援「オレンジねっと」	お互いができる時に、できることで助け合う会員制の「ふれあい助け合い活動」	首都圏	NPOオレンジねっと		一人暮らし・高齢者・障害者等の生活支援として、家事手伝い・話し相手・見守り・理容・通院介助・入院介助・子育て支援等。地域福祉情報誌「ときめき通信」の発行配布。福祉相談・介護予防事業・障害者施設の手作り品販売・コミュニティカフェの運営等。	226
B24	③福祉	公	集合団地	大阪府営住宅ストック活用事例集	府営住宅の空室を福祉施設等に活用し、周辺地域住民の暮らしをサポート	大阪府府営住宅	大阪府住宅まちづくり部 住宅経営室施設保全課		府営住宅の空室を低家賃で福祉事業者に賃貸。子育て支援・高齢者療育・若者の職業的自立支援等。建て替えや住宅の集約により生み出した土地に、福祉施設・医療施設・高齢者住宅・生活支援施設等を建設。	230
B25	③福祉	公	集合団地	豊明団地地域包括ケアシステム	豊明市・UR・藤田学園の3者が相互に包括期用的を結び、3者が連携して「豊明団地やきいきいきプロジェクト」を各の立場から推進	首都圏	愛知県豊明市 藤田保健衛生大学 UR都市機構		豊明市:「プロジェクト会議運営」「民間事業者協力要請」「地域包括支援センター・病後児保育室・医療介護サポートセンターの整備運営」UR:「拠点施設としてセンターへの施設誘致と集会所棟改修」「学生向け居室整備」「生活支援アドバイザーの配置」大学:学校法人として全国初の介護保険事業認可をうけ、大学組織として「地域包括ケア中核センター」を設置。団地内に「ふじたまちかど保健室」と「豊明統合医療介護サポートセンター」を運営。学生や職員が団地内に分散居住し、地域活動や災害時避難者支援、団地バリアフリー調査等の活動を実施。	403
B26	④活性化	学	集合団地	みらいネット高島平	高島平団地の地域力衰退に対する住民の自律的活動を支える学生の取組	東京都板橋区高島平団地	大東文化大学環境創造学部		大東文化大学環境創造学部の教員と学生、高島平住民有志により、団地の課題を協働して解決する場。コミュニティカフェ・各種学びあい教室・公開講座・インターネットラジオの運営等。	226

事例番号	分類1(目標)	分類2(主体)	分類3(立地)	名称	取り組み内容	対象地域等	事業主体	公的支援	概要	文献番号
B27	④活性化	非	集合団地	常盤平地域活性隊	団地中心部の商店街広場を利用したイベント開催による地域の活性化	千葉県松戸市常盤台団地	常盤平地域活性隊		2ヶ月に1回、常盤祭(トキサイ)を開催。地域のバンドや学校の合唱部等による音楽イベント、フリーマーケット等。他の地域の施設等の視察会の開催。ホームページ「トキサイ」の運営。	226
B28	④活性化	公	戸建団地	大分市ふるさと団地の元気創造推進事業	市内モデル団地について住民ワークショップで活性化の方向性を決め、各種補助による生きがい創出を推進	大分県大分市	大分県大分市		市内最大規模の「富士見ヶ丘団地」をモデルとしてワークショップで活性化の方向性と取り組みメニューを検討。市と共同で取り組み対策を整理。公共による助成策と住民の自助・共助による各種の取り組みを実施。空き家の減少・住宅戸数の拡大・空き地の減少・人口減少の鈍化等の成果があった。	403
B29	③福祉	公	集合団地	コーシャハイム向原の団地再生	老朽化した中層団地を高層団地に建て替え集約することにより、施設用地を創出し高齢者や福祉施設を建設する他、福祉インフラ施設を誘致。	東京都板橋区	東京都住宅供給公社		建替前:築60年・4～5階建・32棟・840戸・敷地5.6ha。再生後:6～10階建・8棟・1019戸・敷地4.3ha。敷地内にサ高住・地域包括ケア・子育て支援施設を建設 創出敷地:1.3haに高齢者施設、障害者施設等福祉インフラを誘致。建替により地域防災性の向上・環境負荷の低減等で地域のまちづくりへ貢献。	403
B30	⑤活動支援	公	広域	横浜市地域まちづくり支援制度	横浜市まちづくり推進条例等に基づき戸建て住宅団地などにおける市民主体の様々な地域まちづくり活動を市や区が支援	神奈川県横浜市	神奈川県横浜市		支援の対象：市に登録したまちづくり活動を目的とする5人以上の団体「地域まちづくりグループ」・「建築協定等運営委員会」・「地域の多数に支持を得た団体「地域まちづくり組織」」支援内容：勉強会や団体活動への「コーディネーター派遣」・「活動費の助成」・「事業費の助成」等により地域のまちづくりを支援。ヨコハマ市民まち普請事業補助金による「さら茶屋にししば」等。	403
B31	⑥多文化	公	郊外地域	川口芝園団地・西川口市街地住宅における中国人コミュニティ	団地の半数以上を中国人が主体の外国人が占めており、日本人と中国人の2つのコミュニティが併存している状態となっている。	埼玉県川口市	UR都市機構		1978年に建設された芝園団地では交通利便性等から1990年代から外国人居住者が増加し、戸数5000戸の半数以上が外国人でその大部分が中国人となっている。当初は交流もなく、ゴミや騒音等のトラブルが多発したが、中国語の掲示を増やすなどの努力でトラブルは減少しているが、日本人と中国人の2つのコミュニティが並立している状態。中国人にとっては、中国人コミュニティの存在が安心感に繋がり住みやすい環境を作っている。	WEB収集
B32	⑥多文化	法	外人居住	茨城県大洗町における日系インドネシア人の定住化	水産加工業に従事する日経インドネシア人がキリスト教会を中心とするコミュニティを形成	茨城県大洗町	水産加工会社経営者・協同組合等		大洗町では水産加工業の担い手であった農家の主婦等の高齢化に対応し、1980年頃から外国人労働者の雇用が始まり、当初は不法就労が多かったが、1998年以降日系インドネシア人の就労が増え、人口9000人のうち外国人が約900人を占めている。キリスト教会を中心としたコミュニティを形成しており、教会には水産加工会社が場所を提供して支援している例もある。	WEB収集
B33	⑥多文化	民	外人居住	実習生モスク	土木工事業の会社が自社で働く外国人実習生のためモスクとインドネシア料理店を建設	宮城県気仙沼市	菅原工業		気仙沼市では水産関係等にインドネシア人が技能実習生として多く働いているが、モスクは仙台にはあるものの市内には無く、同国人とのコミュニケーションの場が必要だったことから、会社の福利厚生施設として、商店街にモスクと料理店を建設。	WEB収集

参考文献リスト

文献番号	名称	年	著者・作成団体等	概要
1. 出版物等				
101	これからの郊外住宅地開発の可能性 (家とまちなみ75)	2017	住宅生産振興財団 横浜市立大学准教授　中西正彦	・大都市郊外住宅地の「希薄化」の進行・横浜市金沢区の状況から・都市のコンパクト化制作はどのような影響を及ぼすか・郊外住宅地における今後の住宅地開発の可能性・エリアマネジメントによる開発機械の捕捉
102	住宅団地の活性化に向けて	2015	広島市企画総務局企画調整部制作企画室	1. 住宅団地の現状　2. 住宅団地の位置づけ及び目指す方向　3. 住宅団地活性化の検討課題及び支援施策案　4. 住宅団地の分類及び考えられる取組例 付録
103	人口減少社会に対応した郊外住宅地等の再生・再編手法の開発	2009	国総研　住宅研究部　住環境研究室　都市研究部　都市防災研究室　都市研究部　都市計画研究室	1. 研究の背景と目的　2. 都市全域の単位区ごとの人口・世帯の推計手法　3. 将来行政コストの推計手法の検討　4. 郊外団地型マンションの再生手法の検討　5. 戸建て住宅地の再生手法の検討　6. 戸建て住宅地の再生計画のモデル作成に基づく生成手法の検討　7. 戸建て住宅地の再生効果の評価手法の検討　8. 研究の成果と今後の課題
104	小さな街づくりのための　空き家活用術	2017	発行:建築資料研究社 監修:高橋大輔(共立女子大学 家政学部 建築・デザイン学科教授)	1. 行政が主の取組事例解説　2. まちが主の取組事例解説、3. 企業・団体が主の取組事例解説
105	闘う空き家術	2016	発行:プラチナ出版 著者:中山聡(わくわく法人rea東海北陸不動産鑑定・建築スタジオ代表)	1. 放置する「空き家術」　2. ダメダメな「空き家術」　3. ケチって維持する「空き家術」　4. 売っちゃえ「空き家術」　5. 修理・リフォームする「空き家術」　6. 貸して設ける「空き家術」
106	都市の空き家問題 なぜ？ どうする？ ―地域に即した問題解決に向けて―	2016	発行:古今書院　著者:10名　以下編者: 由井義通(広島大学大学院教育学研究科教授) 久保倫子(岐阜大学教育学部助教) 西山弘泰(九州国際大学経済学部特任教授)	1. 空き家は過疎地だけの問題ではない　2. 地図から見た日本の秋や問題の地域的特徴　3. 空き家増加の背景や要因　4. 若者の居住行動と空き家　5. 地方都市の郊外住宅団地における空き家の発生　6. 地方都市における空き家の分布と地域特性 ……　15. 年の秋や問題とその対策:まとめと課題
107	自治体の「困った空き家」対策→解決への道しるべ	2016	発行:学用書房 執筆:6名(ちば自治体法務研究会) 編集:宮崎伸光(法政大教授)	1. 空き家問題解決への見取り図　2. 特措法以前の法的手段　3. 特措法の概要　4. 取組の初動と実態調査　5.「特定空き家等」の認定基準　6. 即時対応を要する場合　7. 特措法による措置 ……12. 特措法と条例の併存関係における法務
108	空き家の手帖 放っておかないための考え方・使い方	2016	発行:学芸出版社 著者:六原まちづくり委員会(京都六原) ぽむ企画	1. あなたの家、空き家にしていませんか　2. 空き家を活用しましょう　3. 活用のノウハウ　4. 今日から始める空き家相談　5. 片付けが空き家防止の第一歩
109	空き家対策の実務	2016	発行:有斐閣 執筆:8名 編集:北村喜宣(上智大学)・米山秀隆(富士通総研)・岡田博史(京都市)	1. 空き家問題の背景と現状　2. 空家法の逐条解説　3. 法律の施行に伴う自治体の対応　4. 空き家対策の実際①　5. 空き家対策の実際②
2. 論説・研究報告等				
201	価値創造による郊外住宅地の再生を目指して	2013	都市住宅学会関西支部・都市活力研究所 研究交流セミナー講演録	・鉄道と地域の関わり　・近鉄沿線の現状と取り組み　・能勢電鉄沿線の現状と取り組み　・ニュータウンの再生と鉄道会社への期待
202	空き家で街がスカスカ 郊外で進む「スポンジ化」現象	2017	日経電子版	・スポンジ化の現状　・スポンジ化対策としての空き家空き地の活用
203	郊外の変貌過程とこれからの課題	2000	都市住宅学30号 大阪商業大学　成田孝三	・アメリカの超郊外エッジシティの行方　・我が国における最近の郊外論―郊外という時代は終わるのか　・大阪市圏東部セクター郊外の現況　・郊外の問題と対策
204	郊外戸建て住宅地の空き家・空き地の現況と課題 ―岐阜市お団地及び各務原市U団地の居住地特性比較による検討―	2013頃	岐阜聖徳学園大学短期大学部生活学科教授 新田米子	・2団地の空き家空き地の経年変化　・2団地の地域特性と自治体が掲げるまちづくりの方向性　・2団地の公共交通機関生活関連施設等の整備状況　・空き家空き地活用の課題
205	持続可能な郊外住宅地のために−地域交通サービス(練馬区都市整備公社)	2011	財団法人練馬区都市整備公社 阿部名保子	・郊外住宅地の住民の高齢化と公共交通の衰退　・移動サービス　・郊外住宅地における移動ニーズ　・持続可能な郊外住宅のために
206	次世代郊外まちづくり基本構想−東急田園都市線沿線モデル地区におけるまちづくりビジョン−(第1章～第6章)	2013	横浜市・東急電鉄	1. はじめに　2. 基本構想の目的　3. 郊外住宅地の現状と課題　4. 基本構想策定の過程　5. 次世代郊外まちづくり基本構想　6. 端本構想の実現に向けた第一歩
207	人口減少時代における 郊外住宅地の持続可能性	2007	駿台史学 第130号(2007年3月) 川口太郎	1. 転換期にある郊外住宅地　2. エリートサラリーマンの郊外住宅地　3. 住宅地の持続可能性
208	地方で「空き家」が急増した意外な理由～大都市を超えた地方「消費社会」のリアル(貞包 英之) 現代ビジネス 講談社(1-5)	2016	貞包 英之 2011年度：映画専門大学院大学、准教授 2011年度 - 2016年度：山形大学、基盤教育院、准教授 2017年度：立教大学、社会学部、准教授	・地方消費社会の展開　・消費の風景　・地方都市では空き家が目立つ　・空き家問題の一般理解　・空き家と快適性の追求　・消費社会の鏡
209	地方都市郊外住宅団地再生に資する住民活動に関する基礎的研究	2011	都市計画学会都市計画報告集2011/11 福島大学人文社会学群行政政策学類 今西一男	1. はじめに　2. 地方都市における団地の計画的な特性の把握　3. 地方都市における団地再生と住民活動　4. 福島県蓬莱団地に見る団地再生と住民活動　5. おわりに
210	シリーズ 2030年の都市の姿 第10弾	2014	日建設計総合研究所 上席研究員 竹村登	・高齢化が急速に進む大都市近郊の住宅団地　・2030年の郊外戸建て住宅団地　・郊外住宅地で世代交代が進むか　・死to阻セク可能な住宅地とするために
211	ストック時代における郊外住宅地再生のポテンシャル - 住宅生産振興財団	2015	住宅生産振興財団企画部 谷口修司 九州大学都市建築学部門 柴田建	1. 郊外ニュータウンの持続性　2. 中古住宅のリノベーション・コンバージョンと住宅地の再定義　3. 故郷としての継承　4. 混じって暮らすことのポテンシャル
212	まちづくりレポート｜都心と郊外、ふたつの再生戦略 ―福岡市の都市再生と低層住宅地の容積率緩和	2013	ニッセイ基礎研究所	1. はじめに　2. 福岡市の概要　3. 都心部のまちづくり　4. 郊外住宅地の容積緩和　5. 都心と郊外ふたつの再生戦略
213	包括的に団地を元気にする活動−ちば地域再生リサーチの活動	2012頃	千葉大学工学部 キャンパス整備企画室 鈴木雅之	1. 郊外団地の課題　2. 課題への対応の現状　3. 取り組みの考え方　4. NPOによる取り組み
214	郊外型戸建住宅団地再生に向けた取り組みを本格的に開始します 兵庫県三木市	2015	兵庫県三木市＋大和ハウス工業＋凸版印刷他＋関西学院大学＋関西国際大学	・郊外型住宅団地のエリア価値を高めるサービスを提供し、団地外からの住み替え、団地内での高齢者の住み替えを促進する取り組みを開始するプレスリリース
215	郊外住宅市街地の再構築と持続(郊外居住)のあり方	2014	計量計画研究所 仙台市との共同研究	1. 研究の目的　2. 仙台市郊外住宅市街地の概況　3. 各部局の取り組み状況　4. 問題発生のメカニズム　5. 今後に向けた課題と取り組みの考え方
216	郊外住宅地の再生について - 横浜市	2016	横浜市住宅政策審議会第3専門部会資料	1. 横浜市全体の現況　2. 郊外部と都心・都心周辺部の比較　3. 郊外住宅地の現状・課題　4. 郊外住宅地再生の位置づけ

文献番号	名称	年	著者・作成団体等	概要
217	郊外住宅地再生のための地域の役割	2009	日本不動産学会誌2009/7 明海大学不動産学部教授 斉藤広子	1．はじめに　2．日本の住宅地で抱える課題　3．なぜこのような問題が生じるのか　4．どうすればよいのか、英米の事例から学ぶ　5．住宅地再生に必要なのは不動産の有効活用　6．日本への課題
218	札幌圏の郊外住宅団地 再生勉強会 報告書	2014	広域市民ネットワーク アクティブ・アクティブ ＋東京工業大学-土肥研究室	・事例紹介5団地　・ディスカッション　・まとめ
219	周辺地域との関係性から見た郊外住宅団地の再構築に関する研究	2008	住宅総合研究財団研究論文集2008年 福井大学助教 原田陽子他	1．はじめに　2．香里団地とその周辺地域の概要　3．香里団地とその周辺地域の空間変容実態　4．香里団地周辺世帯への調査概要と調査世帯の属性　5．香里団地周辺居住世帯における住環境評価と居住実態　6．その他の調査団地とその周辺地域との関係性　7．まとめ
220	住宅地の縮退管理の観点から た 大都市圏郊外のまちづくりの方向性 ‐ 土地総合研究所	2013	国土技術政策総合研究所 主任研究官 勝又済	1．はじめに　2．首都圏の市街化と人工道路の推移　3．既往研究にみる郊外住宅地の抱える問題点と対策　4．郊外衰退住宅地の存続／撤退の判断に向けた視点　5．郊外衰退住宅地の存続／撤退のプロセス　6．住宅地撤退後の空間利用に関するアイデア　7．まとめ
221	都市部の高齢化対策に関する検討会 資料2	2013	明治大学理工学研究科 建築・都市学専攻教授 園田眞理子	・少子高齢社会における街の持続と再生　・地域包括ケアの期盤としての住まい　・少子高齢化社会の不動産利用－高齢者の転居、死亡・相続と餅屋の管理・利用－郊外住宅地での応急策と出口戦略
222	大都市遠郊外住宅地の エリアマネジメント	2009	財団法人 日本開発構想研究所	1．大都市遠郊外住宅地におけるエリアマネジメントの研究　2．大都市外延部におけるエリアマネジメントの必要性　3．大都市外延部における不動産市場の現状と今後の展望　4．東京圏拡大の経緯と郊外都市街地の現況　5．大都市圏郊外部の住宅団地の現状と再生の課題　6．大都市外延部の再生をどう進めるか　7．土地利用基本計画を使おう　8．55年体制下における土地政策を総括する
223	大都市圏の郊外住宅地における持続可能な地域づくりを通じた孤立予防に関する調査研究事業	2014	浜銀総合研究所	1．大都市圏の住宅の現状　2．団地・ニュータウンの活性化に向けた各地の取り組み　3．現場の課題認識　4．地方自治体の課題意識と取り組みの方向性　5．これからの地域福祉・孤立予防に求められる視点
224	町田市 団地再生基本方針	2013	町田市都市づくり部建物住宅対策課	序．団地再生基本方針とは　1．団地の現状と課題　2．団地再生方針　3．団地再生手法　4．団地再生の推進体制
225	奈良県住生活基本計画	2012	奈良県	1．計画の目的と位置づけ　2．住まい・まちづくりの現状と課題　3．住まい・まちづくりの基本理念と施策の方向、綿密施策　4．地域・住宅地の特性に応じた住まい・まちづくり施策の方向　5．住宅・住宅地の重点供給地域　6．計画の実現に向けて
226	地方都市郊外住宅団地再生に資するコミュニティ・シンクタンクの成立に向けた実践的研究（概要）	2009	福島大学行政政策学類 准教授 今西一男 福島大学行政政策学類社会調査論研究室	3-1．郊外住宅団地再生のための市民活動と周辺地域のネットワーク形成に関する調査　3-2.事例研究　3-3.福島県蓬莱団地における実践的研究　3-4.蓬莱団地における「まちづくり」のための住民意識調査　4.結論
227	都内から続々移住、築50年郊外団地のヒミツ	2017	マーケティング・アナリスト 三浦展 ブルースタジオ（設計事務所 大島芳彦）	・神奈川県座間市ホシノタニ団地　・2人暮らしカップルは「ここで子育てしよう」　・標語は「脱ベッドタウン」　・住めて働ける街は各停駅前にあった　・郊外が脱ベッドタウンしたら面白い街になる
228	特集「郊外住宅地の衰退と再生」にあたって	2009	日本不動産学会誌2009/7 東京工業大学 中井検裕	日本不動産学会誌 特集「郊外住宅地の衰退と再生」の巻頭文　その他に、若林幹夫、小場瀬令二、齊藤広子、野嶋慎二、原田陽子、長谷川洋、半澤浩司、中川雅之が執筆
229	日本の郊外住宅地の歴史とこれから ‐ 関西大学	2016	関西大学戦略的研究機盤団地再生リーフレット 関西学院大学教授 角野幸博	■郊外住宅地の成立と日本への伝播・展開　1．郊外住宅地の発展と成熟　2．様々な郊外住宅文化　3．現在の郊外住宅地へ　4．郊外住宅地が抱える問題　5．これからの郊外自由宅地の再生と方向性
230	兵庫県／まちづくり事例集／郊外住宅地	2016	兵庫県ホームページ まちづくり事例集「郊外住宅地」参考となる事例集 県土整備部まちづくり局都市政策課	「安全安心のまちづくり」に関係する事例「官許と共生するまちづくり」に関係する事例　「魅力と活力あるまちづくり」に関係する事例「自立と連携のまちづくり」に関係する事例
3. 空地・空き家活用の取り組み				
301	シェアハウスや福祉施設など、空き家活用の8つの事例（DOCX）		土地カツnetホームページ	1．空き家バンクの活用（借り主負担DYI型賃貸）　2．シェアハウスによる賃貸　3．改装可能にして店舗用に貸し出す　4．コミュニティスペース　5．移住者の体験用住宅　6．会員制の民宿　7．文化施設　8．福祉・医療分野
302	空き家が収益物件に‐ 新時代の活用術‐NHKクローズアップ現代（DOCX）	2017	NHKクローズアップ現代ホームページ	空き家活用事例 カフェ＋シェアオフィス、パン屋、シェアハウス、屋台村、シェアオフィス、カフェ＋外国人用宿泊施設、週末田舎暮らし住宅
303	空き家の活用事例10選（DOCX）	2017	住まいを網羅 Smoola（スモーラ）ホームページ （マンションリサーチ株式会社）	・空き家の定義　・空き家対策特別措置法　・空き家ビジネスの現状　・政府地方自治体の空き家対策　・空き家対策に捕縛金を出す自治体　・空き家ビジネス　・空き家の活用方法　・空き家の活用成功事例10件
304	空き家の活用方法でお悩みの方へ（DOCX）		NPO法人空家・空地管理センター	空家・空地管理センターが"実際に解決した"こんな事例！こんなに沢山！空き家・空地のさまざまな"活用パターン"
305	空き家の現状と取組 東京都都市整備局		東京都都市整備局	・都内の空き家等の状況　・空き家所有者の意向　・特別措置法　・国の空き家に関する取組　・都の空き家に関する取組　・区市町村の空き家に関する取組　・区市別空き家数と内訳
306	空き家活用をジブンゴト化 お金と人を集める「共創」の新サービス（DOCX）	2018	事業構想大学院大学 PROJECT DSIGN ONLINE 2018年1月号 福田 和則（エンジョイワークス 代表）	・エンジョイワークスの活動「ハロー!RENOVATION」の紹介、自社フェス「向源」廃工場をリノベーションしたシェアスペース等の事例紹介と事業モデルの紹介
307	空き家活用型リバースモーゲージローン 中銀	2016	中国銀行	自分が所有する「空き家」を担保とする融資制度の紹介
308	空き家活用事例 ひろしま空き家バンク みんと（DOCX）		ひろしま空き家バンク みんと 広島県土木建築局住宅課	活用事例　・建築士が物件選びをサポート　・空き家再生実践活動拠点　・空き家購入リフォーム　・自宅＋ゲストハウス　・自宅兼カフェ　・空き家購入して自宅　・田舎暮らし＋研究交流拠点　・カフェ＋宿泊　・移住（空き家）＋餃子店（商店街）
309	空き家活用事例集 いしかわ暮らし情報ひろば（DOCX）		いしかわ「第二のふるさと」推進実行委員会（石川県企画振興部地域振興課内）	活用事例　・カフェ＋設計事務所＋自宅　・県外からのUターン　・体験型宿泊施設　・移住＋飲食店＋自宅　・移住＋自宅　・移住＋養鶏場＋自宅　・古民家＋飲食店　・賃貸住宅　・県外在住の空き家管理
310	空き家活用事例集 兵庫県神河町移住定住支援サイト かみかわくらす（DOCX）神河町 空き家再生プロジェクト パンフレット（PDF）	2018	神河町 町長部局 ひと・まち・みらい課	活用事例　・交流施設＋イタリアン郷土料理　・交流施設＋カフェレストラン　・交流施設＋蕎麦店、蕎麦店　・インド料理店　・パン工房、うどん店　・リラクゼーションサロン　・交流施設＋雑貨店　・交流施設＋タイ料理　・交流施設＋カフェレストラン　　別冊神河町空き家再生プロジェクトパンフレット

文献番号	名称	年	著者・作成団体等	概要
311	11家賃10万円の空き家が住宅型老人ホームに生まれ変わった！（DOCX）		介護の王国　ホームページ	空き家を活用した介護施設事業の紹介
312	郊外の未来を開く、空き家とビジネスの出合い　未来コトハジメ（DOCX）	2017	未来コトハジメ　ホームページ（日経BP社）	「ヘルシーカフェのら」「自分らしい仕事づくりを応援するのらうら」の紹介
313	高齢者の住まいに空き家活用　25日から新制度（DOCX）	2018	日本経済新聞　ホームページ	高齢者や低所得者向けの空き家登録制度＋改修費や家賃の一部を自治体が補助
314	参考資料3　空き家の活用事例		不明　記者発表用資料か？（参考資料1）空き家数の推移（参考資料2）アンケート調査結果	活用事例　・メンバーシップ滞在型（会員制農家民宿、農家移住紹介）・地域観光資源型（空き蔵活用、空き家利用ミュージアム）・ビジネス事例（不動産として媒介）・街並み改修保全型（空き家改修により街並み保全）・空き家活用に関する調査研究事例
315	産地の空き家活用検討合同プロジェクト　生活クラブ共済連（DOCX）		生活クラブ共済連	空き家活用プロジェクトを全国各地で展開
316	杉並区及び練馬区における空き家の有効活用について―西京信用金庫		西京信用金庫	杉並区居住支援協議会と「空き家等利活用モデル事業」で連携し、空き家・空室改修ローンを商品化　練馬区と協定を締結し、空き家対策ローンを商品化
317	所有している古家（空き家）をご活用したい方へ　全国古家再生推進協議会HP（DOCX）		（社）全国古家再生推進協議会	・塗装会社からマンション空室対策事業を開始し、マンション及び戸建てのリフォーム実績を重ねてH26年協会設立　・ホームページではセミナーの紹介や成功事例の紹介等がみられる
318	大阪市内における空家等の活用の事例集		大阪市都市整備局企画部住宅政策課住宅政策グループ	活用事例　1. 商店街の地域拠点サロン　2. 地域拠点サロン＋デーサービス　3. 空き家リノベーションによる地域活性化　4. 寺子屋＋地域交流　5. 長屋を階種きたディサービス　6. 料理教室＋レストラン　7. 多機能型事務所　8. ゲストハウス
319	大正・港エリア空き家活用協議会HP（DOCX）		WeCompass	空き家活用の相談をワンストップで行う専門家の集まりメンバー：建築家、リフォーム工事会社、不動産コンサル、弁護士、不動産鑑定士等活動実績：活用相談（セミナー修了後及び区役所窓口）、空き家活用のため等のセミナー開催
320	大都市及び郊外地域における空き家問題と活用方策の提案		日本不動産学会誌　第28巻第3号2014/12東京都市大学環境学部教授　室田昌子	1. はじめに　2. 大都市圏の空き家の実態と問題　3. 大都市圏における共同住宅の空き家について　4. 郊外住宅地の空き家政策　5. 空き家空き地有効活用対策としてのコミュニティ拠点　6.「空き家空き地コミュニティ拠点」の普及のための提案
321	地方でこそ生まれる先進事例！今アツい空き家活用・再生による、まちづくりプロジェクトまとめ（DOCX）		MAD City（松戸駅前で行われている、民間企業によるまちづくりのプロジェクト）	MAD Cityホームページ内のコラム　事例紹介　1. 松戸駅前の空き家活用　2. 尾道空き家再生プロジェクト　3. 高知空き家活用団体　4. 空き家活用団体「つくる」5. 出羽島プロジェクト　6. KGU空き家プロジェクト　7. 0号館プロジェクト　8. ホンバコ（ブックカフェ）
322	どうにかしたい空き家を「得する空き家」に変える活用方法―お家のいろはHP（DOCX）		お家のいろはHPNTTデータグループ運営の不動産情報サイト「HOME4U」の枝サイト	得する空き家の活用方法　1-1.大家さんになって人（会社、事業者）に貸す　1-2.解体して土地を活用する　1-3.売却する　2-1.更地のままだと固定資産税が6倍になる　2-2.住居があっても固定資産税が6ばいになる　2-3. 建替、解体で自治体から補助金が出る場合も　3.まとめ
323	空き家活用支援事業の募集について　兵庫県（DOCX）空き家活用支援事業パンフレット　兵庫県（PDF）	2017	兵庫県　県土整備部住宅建築局住宅政策課	・空き家活用支援事業を都市部も対象として実施している。1. 対象となる建物　2. 補助対象者　3. 対象とする経費　4. 補助額等　5. 補助対象者の選定（要件を確認の上先着順）・フラット35子育て支援型の利用について
324	やまがた空き家利活用相談窓口　山形県（DOCX）	2017	山形県　空き家活用支援協議会（山形県すまい・まちづくり公社内）	1. 空き家の現状　2. 相談の手順　空き家をお持ちの方へ・空き家を解体・借りたい方へ　3. 相談窓口のご案内　4. 空き家の情報　5. 事業者リスト　6. 協議会について
325	ねりま空き家でまちづくり（DOCX）ねりま空き家でまちづくりパンフ（PDF）		ねりまみどりのまちづくりセンター	1. 空き家を活用して地域に貢献してみませんか―活用事例　2. マッチングの支援とは　3. 空き家活用専門窓口について　4. 空き家地域貢献事業とは　5. 活用事例　ねりま　空き家でまちづくり　パンフ
326	移住促進特別区域内の空き家活用などへの支援について　京都府亀岡市HP（DOCX）	2018	亀岡市　市長公室ふるさと創生課　婚活・定住支援係	補助メニュー　1. 移住促進住宅整備事業　2. 空家流動化促進事業　3. 地域受入体制整備促進事業　4. ホームシェア移住支援事業　5. 移住者起業支援事業補助金の申請について
327	京都市空き家活用・流通支援等補助金の受付及び京都市地域連携型空き家対策促進事業取組団体の募集開始について（DOCX）	2017	京都市都市計画局まち再生・創造推進室	1.京都市空き家活用・流通支援等補助金（1）対象要件、補助金額及び対象工事（2）受付期間　2　京都市地域連携型空き家対策促進事業（空き家×地域まちづくり　応援事業）（1）事業の概要（2）募集数（3）応募資格（4）募集期間（5）選考方法（5）選考結果の通知　3. 申請書類　4. 申し込み問い合わせ先
328	空き家の購入・改修・家財整理の経費を助成　岡山県新見市（PDF）		新見市総務部企画政策課	1. 補助対象事業、補助率および補助限度額（購入）（改修）（家財整理）2. 補助対象者（空き家使用者）（空き家所有者）3. 申し込みに必要な書類　4. 補助金の返還
329	空き家の利活用に向けて　させぼ暮らし　佐世保市サイト（DOCX）	2018	佐世保市都市整備部都市政策課	1. 佐世保市の空き家対策の取組　2. 地域主体の空き家活用等の取組　3. 住まいの活用に関する支援制度　4. その他よくある質問・空き家に関する知識　5. 物件情報
330	空き家活用　WAKAYAMA LIFE　和歌山移住ポータルサイト（DOCX）		和歌山県　企画部地域振興局移住定住推進課	空き家活用の事例　1. 農業、iターン、単身移住、60代　2. 起業、、iターン、単身移住、50代　3. 起業・農業、iターン、家族移住、30代
331	あやべ定住サポート総合窓口　京都府綾部市（DOCX）綾部市　住みたくなるまち定住促進条例（PDF）綾部市−空き家活用定住促進事業費補助金	2016から	綾部市定住交流部　定住・地域政策課	1. 買いたい借りたい　2. 売りたい貸したい　3. 初めての方へ　4. 定住までのプロセス　5. 定住者の声　6. 楽しく暮らす　7. よくある質問　8. 綾部市について　○条例　○補助金
332	空き家活用・適正管理セミナー　相談会　和歌山県（DOCX）	2017	和歌山県　県土整備部都市住宅局建築住宅課	1. 内容（各会場共通）2. 日時会場　3. 申込用紙
333	空き家活用マッチング制度とは　茅ヶ崎市HP茅ヶ崎市空き家活用等マッチング制度創設のお知らせ（PDF）茅ヶ崎市空き家活用等マッチング制度実施要項（PDF）	2017	茅ヶ崎市都市部都市政策課	1. 制度の概要と実施体制　2. 登録できる空き家の要件　3. 登録できる空き家活用希望者の要件　○お知らせパンフ　○実施要領
334	空き家活用リフォーム等補助金　静岡県牧之原市（DOCX）牧之原市空き家活用リフォーム等補助金パンフ（PDF）		牧之原市情報交流課	1. 対象者　2. 賃貸借の場合　3. 補助概要　4. 残置物の処理　5. 必要書類　6. 申請期間　7. [フラット35]地域活性化型の利用について　○パンフ

文献番号	名称	年	著者・作成団体等	概要
335	空き家活用型しごとの場創出支援事業補助金制度 富山県南砺市(DOCX)		南砺市商工課	1.補助対象者 2.補助対象経費 3.補助率／補助限度額 4.公布条件 5.募集期間 ○何都市空き屋バンク(空き家情報一覧)
336	空き家活用支援事業 兵庫県たつの市(DOCX)	2018	たつの市都市制作部まちづくり推進課	1.対象者 2.対象の空き家 3.対象外の空き家 4.補助対象経費 5.補助の金額 6.申請書類 7.申請先 8.報告書類 ○実施要項
337	空き家活用支援事業 兵庫県養父市(DOCX)やぶぐらしー定住促進ガイドブック(PDF)		養父市市民生活部やぶぐらし課	1.補助金の対象 2.補助事業の対象 3.補助金の額 4.申請方法 ○やぶぐらしガイドブック
338	空き家活用支援事業のご案内 山形県尾花沢市(DOCX)		尾花沢市定住応援課定住推進係	1.対象になる空き家 2.空き家所有者への助成 3.空き家取得者への助成 4.申請に必要な書類 ○空き家活用支援事業のご案内パンフ
339	地域提案型空き家活用事業の公募 新潟市(DOCX)	2018	新潟市建築部住環境政策課	1.事業の概要 2.補助の内容 3.事業の詳細 ○事業実施団体公募案内 1.募集要項等のダウンロード 2.募集対象 3.応募資格 4.応募方法 5.選定 6.審査項目基準 7.留意事項 8.取組等の参考例 ○調査研究事業(ステップ1)(ステップ2)の説明
340	空き家活用支援補助金 廿日市市(DOCX)廿日市市空き家バンク補助金交付要綱(PDF)	2016	廿日市市住宅政策課	1.補助金概要 2.条件など 3.洋式など ○公布要領
341	空き家活用事業 香川県小豆島町(DOCX)小豆島町空き家活用事業パンフ(PDF)小豆島町空き家活用事業補助金交付要綱(PDF)		香川小豆島町企画財政課企画調整係	1.対象となる物件 2.申請できる方 3.条件 4.補助の内容 5.補助の対象となるリフォーム工事 6.補助金の流れ 7.申請書・要項ダウンロード ○空き家活用事業パンフ(PDF) ○空き家活用事業補助金交付要綱(PDF)
342	空き家活用事業助成金 佐賀県鹿島市(DOCX)鹿島市空き家活用事業助成金交付要綱(PDF)		鹿島市都市建設課	1.助成対象者 2.助成の内容 3.申請方法 4.申請の時に必要な書類 5.関係洋式等ダウンロード ○助成金交付要綱
343	空き家活用住宅の利用者を募集します 高知県南国市(PDF)		高知県南国市都市整備課 ※5/23時点ではホームページ閉鎖(受付期間終了のためか？)	1.申し込み受け付け開始日 2.応募資格 3.物件情報 4.利用者の選考 5.利用期間 6.申し込み方法
344	空き家活用助成のご案内 石狩市(DOCX)	2018	石狩市建設水道部建設総務課	1.助成の目的 2.助成対象となる空き家の要件 3.定住支援の内容 4.地域コミュニティ支援の内容 5.申請の流れ 6.提出書類 7.助成制度Q&A 8.交付要綱・届出様式 9.(関連情報)結婚新生活支援助成のご案内
345	空き家活用相談員の現地派遣 千葉市(DOCX)空き家活用相談員の現地派遣リーフレット(PDF)	2017	住まいのコンシェルジュ(住宅供給公社内) 千葉市都市局建築部住宅政策課	1.対象者 2.主な内容 3.申し込み方法 ○空き家活用相談員の現地派遣リーフレット
346	空き家活用促進事業 島根県大田市(DOCX)空き家活用促進事業チラシH30(PDF)	2017	太田市制作企画部地域振興課定住推進室	1.事業内容 2.補助対象者 3.申請書等 ○空き家活用促進事業チラシH30
347	空き家活用定住促進事業補助金 岡山県津山市(DOCX)		津山市 仕事・移住支援室	1.補助金額 2.補助対象者 3.申請の流れと提出書類 4.その他 ○津山市住まい情報バンク
348	空き家情報バンク活用促進助成金制度について 岡山県高梁市(DOCX)		高梁市 住もうよ高梁推進課 田舎暮らし推進課	1.対象要件・助成金額等 2.申請手続きの流れ
349	空き家等地域貢献活用相談窓口(社)世田谷トラストまちづくり(DOCX)		(財)世田谷トラストまちづくり	1.相談窓口の業務内容 2.世田谷らしい空き家等の地域貢献活用助成企画募集のお知らせ 3.世田谷の空き家活用等ゼミナール 4.現地見学会情報 5.活用希望者からの相談事例一覧 6.これまでの実績 7.空き家空き部屋等地域貢献活用フォーラム 8.出張相談会(活用モデル事例見学会&個別相談会)
350	ひょうご空き家対策フォーラムHP	2016開設	兵庫県宅地建物取引業協会	・構成団体や相談方法等の案内 ・空き家の活用事例 ・よくある相談事例 ・運営組織
351	リロの留守宅管理HP(リロケーション・インターナショナル)		(株)リロケーション・インターナショナルささ((株)リログループ100%出資)	留守宅管理 1.空き家のまま管理 2.引っ越し後の持ち家の賃貸 3.セカンドハウスの賃貸 4.投資用マンションの管理 5.マンション空室の入居者募集 収支事例、ご利用の流れ、ご利用者の声、その他
352	空き家管理業 いえ。とち。物語 HP		小向建設(株)	建設会社による地域を限定した、「専属選任媒介契約」を前提とした空き家の無料点検サービス
353	空き家対策シンポジウム～全国実態調査を踏まえて～	2017	日本弁護士連合会	空き家対策に関するシンポジウム 1.法律家と弁護士による基調講演 2.NPO理事による空き家再生取組事例紹介 3.パネルディスカッション
354	空き家対策の最新事例と残された課題(富士通総研)	2014	富士通総経済研究所 上席主任研究員 米山秀隆	1.はじめに 2.空き家の撤去促進 3.空き家の利活用促進 4.今後必要な空き家対策
355	空き家対策は発生の抑制から	2017	NHKホームページ 解説委員室 解説アーカイブズ 獨協大学 倉橋透	空き家問題の解説 ・空き家の定義 ・特別措置法の紹介 ・空き家実態調査の紹介 ・空き家発生抑制の必要性
356	空き家対策ローンの事例(北九州銀行 足利銀行)		北九州銀行 足利銀行	空き家の解体、購入、改修工事の費用に使えるローンの紹介
357	空き家対策支援センターHP 兵庫県弁護士会		兵庫県弁護士会	1.空き家問題に関する法律相談:弁護士紹介 2.市民向けセミナー等への弁護士派遣 3.空き家問題に関するQ&A
358	固定資産税の優遇が消える！空き家対策特別措置法はここがヤバイ		不動産売却サイト ホームフォーユー	・空き家問題の深刻化 ・空き家対策特別措置法の説明 ・空き家激増の背景 ・あなたの実家は大丈夫ですか ・とりあえず対策しないと損をするかも ・田舎で借り手や買い手が付くか
359	郊外住宅地における空き家発生の実体とその対策に関する基礎的研究	2013	国土地理協会H25年度助成金成果報告書 岐阜大学教育学部 久保倫子他1名	1.研究課題 2.日本の郊外住宅地における空き家化の実態 3.空き家増加に対する自治体の取組 4.郊外住宅地における空き家化の実態①茨城県牛久市の事例 5.同②広島県呉市の事例 6.結論
360	東広島市 中心街人口増と郊外空き家問題。動き出した空き家対策と学生とのプロジェクトとは？	2018	LIFUL HOME'Sホームページ 住宅ライター・FP技能士 福岡由美	・人工は右肩上がりで増加中。気づくのが遅れた「空き家問題」・中心街では住宅着工件数増加、郊外では空き家増加 ・空き家問題で最初にとれ組むべき課題「人を呼ぶ」・都会生まれと階育ちだから「地方建築」に関心を持った准教授
361	爆発的に増える「空き家」対策、4つのパターン	2016	東洋経済 ON LINE	・空き家の大幅増加は既定路線 ・思い出があるから空き家放置 ・自分たちにとって最適な選択を
362	自治体の空き家対策に関する調査研究報告書	2014	(財)東京市町村自治調査会	東京都の多摩島しょ地域を対象 1.はじめに 2.空き家問題の現状整理 2-1.空き家の発生状況 2-2.空き家問題の発生メカニズム・・・・ 3.空き家対策の具体的な方向性 3-1.老朽空き家化の予防策 3-2老朽空き家への応急対策 3-3.空き家の活用策 4.空き家対策の将来像

文献番号	名称	年	著者・作成団体等	概要
363	空き家対策 安芸高田市HP		安芸高田市 建設部 住宅政策課	・空き家の特定 ・空き家の適正管理に関するアンケート集計(PDF有) ・空き家実態調査及び所有者等地調査(PDF有) ・空き家所有者等の意向調査(PDF有)
364	空き家対策 伊賀市HP		伊賀市 人権生活環境部 市民生活課 空き家対策室	・空き家バンクの課題を解決するための取組 ・空き町家の情報なら「情報バンク」をご活用下さい ・空き家等維持管理サービス ・伊賀市空き家等対策推進連携協定締結 ・その他
365	空き家対策 塩竃市HP	2018	塩竃市 市民総務部 市民安全課	・塩竃市空き家情報冊子の共産広告を募集しています
366	空き家対策 掛川市HP		掛川市 都市政策課 住宅政策室	・掛川ランドバンクと空き家対策に関する協定を結びました ・掛川市空き家等対策計画を策定しました ・空き家等の適正管理に関する条例 ・市民の皆さんへのお願い
367	空き家対策 寒河江市HP	2016	寒河江市 建設管理課	・寒河江市空き家対策(PDF有) ・空き家の現状 ・空き家等の管理義務 ・空き家等の適正な管理 関連情報(空き家バンク、空き家管理サポート)
368	空き家対策 宮城県大崎市HP		大崎市 市民共同推進部 環境保全課 空き家対策推進室	・相続した空き家の譲渡所得3000万円の特別控除 ・大崎市危険空き家除却費補助金 ・空き家調査業務の報告 ・空き家活用、空き家情報リンク集
369	空き家対策 埼玉県北本市HP	2016	北本市 都市計画課 住宅担当	・北本市と公益社団法人シルバー人材センターは「空き家等の適正管理に関する協定」を締結
370	空き家対策 三鷹市HP		三鷹市 都市整備部 都市計画課 住宅政策係	・空き家の譲渡所得特別控除 ・空き家に関する取組について ・空き家の管理に役立つパンフ ・専門家相談窓口一覧 ・市空き家等調査報告 ・特定空き家等認定基準
371	空き家対策 山形県村山市HP		村山市 政策推進課	・空き家対策について ・空き家の管理は所有者の責任です ・空き家の適正管理をお願いします ・山形空き家活用相談窓口について
372	空き家対策 山形県南陽市HP		南陽市 建設課 建築住宅係	1. 南陽市空き家等対策計画について 2. 所有者による適切な管理について 3. 山形県空き家活用相談窓口について 4. 特定空き家等について
373	空き家対策 山形市HP		山形市 まちづくり推進部 管理住宅課 住宅整備係	・老朽危険空き家対策事業 ・空き家活用相談窓口の開設 ・山形市空き家バンク ・その他6項目
374	空き家対策 市川市HP	2018	市川市 街づくり部 建築指導課	・空き家対策について ・措置の対象 ・市の対応
375	空き家対策 糸魚川市HP		糸魚川市 環境生活課	・危険空き家除却支援補助金 ・空き家等対策計画 ・空き家の適正管理をお願いします ・空き家等対策協議会 ・相続登記をしましょう
376	空き家対策 秋田県湯沢市HP		湯沢市 暮らしの相談課 市民相談窓口班	・特定空き家等解体撤去資金助成事業 ・空き家等対策計画 ・空き家等の適正な管理の推進
377	空き家対策 所沢市HP		所沢市 総務部 防犯対策室	・空き家等の適正管理について ・空き家利活用等ワンストップ相談事業
378	空き家対策 深谷市HP	2017	深谷市自治振興課自治振興係	・空き家等の適正管理について ・空き家等対策に関する熱とワーク ・空き家等の見守り適正管理に関する協定 ・空き家利活用ネットワーク制度 ・空き家の実態調査
379	空き家対策 川崎市HP		川崎市 まちづくり局 住宅政策部 住宅整備推進課	・空き家対策セミナー個別相談会の開催 ・特別措置法 ・空き家等対策協議会 ・空き家等対策計画 ・空き家対策意見交換会 ・空き家に関するパンフレット ・空き家利活用相談
380	空き家対策 台東区HP		台東区 住宅課 建築課監察担当	・空き家対策について ・空き家に関する条例 ・空き家等に関する総合相談窓口 ・民間住宅活用事業 ・空き家跡地活用事業 ・空き家実態調査 ・空き家譲渡所得の特別控除
381	空き家対策 藤沢市HP	2018	藤沢市 計画建築部 住宅政策課	・藤沢市の空き家対策 ・空き家利活用事業補助申請 ・空き家移動相談会 ・空き家利用マッチング制度 ・空き家利活用セミナー ・空き家対策基本方針 ・その他
382	空き家対策 廿日市市HP		廿日市市 住宅政策課	・空き家などに対する取組 ・廿日市市地空き家等対策協議会
383	空き家対策 彦根市HP		彦根市都市建設部建築住宅課	・空き家所有者への指導 ・空き家発生抑制特別措置 ・空き家等対策推進協議会 ・空き家の適正管理 ・空き家に関する法律 ・空き家問題について ・その他
384	空き家対策 福岡県築城町HP		築城町 企画進行課 地域創生推進係	・空き家バンク事業補助金等のせいどについて ・空き家バンク制度について
385	空き家対策 北広島市HP		北広島市 市民環境部 市民参加住宅政策室 市民参加住宅施策課	・リユース住宅活用サポート補助金 ・空き家等解体補助金 ・空き家対策について ・空き家等対策計画 ・空き家等対策推進協議会 ・空き地空き家バンク ・その他
386	空き家対策 有田町HP		有田町 総務課	・空き家等の適正管理 ・空き家等対策計画 ・空き家等審議会
387	空き家対策について 苫小牧市HP		苫小牧市 市民生活部 市民生活課	・あ空き家の適切な管理のお願い ・特別措置法 ・北海道空き家情報バンク ・空き家廃屋対策ネットワーク ・空き家等対策協定書
388	空き家対策 滋賀県HP		滋賀県 土木交通部 住宅課	・空き家相談窓口 ・活用流通の促進 ・県内市町村の空き家対策の取組 ・県内市町村の空き家バンク
389	空き家対策 千葉県HP		千葉県 県土整備部 住宅課 住宅政策班	・千葉県の空き家状況 ・国の取組 ・千葉県の取組:空き家対策マニュアル、空き家対策の推進検討部会、空き家に対する意識調査 ・市町村における取組:空き家相談窓口 その他
390	空き家対策に係わる対応指針 山形県	2012	山形県 県土整備部 管理課 県土整備推進室 (事務局)	1. 空き家対策の目的 2. 空き家発生の背景 3. 空き家の現状 4. 空き家の課題 5. 空き家対策に係わる対応指針作成の目的 6. 空き家対策における基本的な考え方 7. 具体的な対策 8. 資料編
391	総合的な空き家対策の取組方針 京都市	2013	空き家対策総合案内問い合わせ先 都市計画局まち再生・創造推進室	1. 目的 2. 空き家の現状 3. 対策を進める上での基本的な考え方 4. 具体的な対策 5. 今後に向けて 施策一覧
392	空き家等対策計画 広島市	2017	広島市 都市整備局 指導部 建築指導課	1. 計画策定の目的等 2. 計画の基本的事項 3. 広島市の空き家の現状等 4. 空き屋に関する対策の取組方針 5. 空き屋に関する対策 6. 実施体制・相談体制 7. その他空き家に関する対策 資料編
393	空き家等対策計画 立山町	2015	立山町 建設課 空き家相談窓口	1. 空き家等に関する対策の実施に関する基本的な方針 2. 空き家等の実態及び計画対象地域 3. 特定空き家に対する措置 4. 空き家等の利活用に対する取組 5. 空き家対策の実施体制 6. 資料編

文献番号	名称	年	著者・作成団体等	概要
394	空き家対策に関する指針 大磯町	2017	大磯町 都市建設部 都市計画課 空き屋等対策総合窓口	1. 大磯町の空き家等に関する経緯と課題 2. 大磯町空き家等対策に関する指針の目的と枠組 3. 大磯町空き家等対策の具体的措置 参考資料
395	空き家等対策計画 練馬区	2017	練馬区 環境部 環境課	1. 練馬区空き家対策計画とは 2. 空き家等及び堆積物等による不良な状態にある居住建築物等の現状と課題 3. 空き家等への取り組み 4. 堆積物等による不良な状態にある居住建築物等への取り組み 5. 取り組みの体制 6. 条例制定への取り組み

4. 国土交通省ホームページ 情報提供

文献番号	名称	年	著者・作成団体等	概要
401	空き家対策の推進のための新規制度等に係る説明会について	2017	住宅局 住宅総合整備課 住宅環境整備室 資料作成: 住宅局 土地・建設産業局 都市局 国土制作局 法務省 総務省	空き家対策の推進のための新規制度等に係る説明会について
				空き家対策‥‥00_表紙、目次
				空き家対策‥‥01_空き家法の施行状況について
				空き家対策‥‥02(1)_新たな住宅セーフティネット制度について
				空き家対策‥‥02(2)_小規模不動産特定共同事業
				空き家対策‥‥02(3)_リノベーションまちづくりファンド
				空き家対策‥‥02(4)_空き地を活用した市民緑地認定制度の創設
				空き家対策‥‥02(5)_所有者不明土地等に係るガイドライン
				空き家対策‥‥02(6)_法定相続情報証明制度について
				空き家対策‥‥02(7)(8)_全国版空き家・空き地バンクの構築他
				空き家対策‥‥02(9)_空き家所有者情報の外部提供ガイドライン
				空き家対策‥‥03(10)(11)_先駆的空き家対策モデル事業他
				空き家対策‥‥03(12)_譲渡所得の特例に係る運用
				空き家対策‥‥03(13)_定住促進空き家活用事業等
				空き家対策‥‥04(14)_住宅市街地整備に係る施策
				空き家対策‥‥04(15)_公営住宅における残置物の取り扱い
				空き家対策‥‥04(16)_その他
				空き家対策‥‥説明会について質問票回答一覧(H29.7.20更新)
402	空き家対策に関する情報提供	2018	(空家等対策の推進に関する特別措置法関連情報担当) 住宅局 住宅総合整備課(法律・税制) 住環境整備室(予算) 住宅政策課(空き家所有者情報の外部提供に関するガイドライン)	0 目次
				1 空き家対策に関する情報提供ホームページ
				2 空き家の現状と課題
				3 地方公共団体の空き家対策の取り組み事例1(H28)
				4 地方公共団体の空き家対策の取り組み事例2(H29)
				5 その他の制度等
403				6 地方公共団体における空き家対策に関する取り組み状況
				7 地方公共団体における空き家調査の手引き はじめに 1. 空き家調査のパターン 2. 空き家調査の実施手順
				8 手引きー資料編(1) 1. 調査の検討の参考資料 2. 空き家の特定と外観調査の参考資料
				9 手引きー資料編(2) 3. 空き家所有者の特定の参考資料 4. 空き家所有者への実態意向把握の参考資料
404		第1回 2017 ～ 第2回 2018	住宅局 市街地建築課 市街地住宅整備室	住宅団地再生連絡会議ページトップ
				第1回連絡会議 01 次第,設立趣旨、運営、参加団体
				第1回連絡会議 02 基調講演 東京大学 大月敏雄
				第1回連絡会議 会議資料 1 ○住宅団地再生の取組事例 ○その他の取組事
				第1回連絡会議 会議資料 2-1 戸建て住宅団地の現状・課題と再生への取組について 住宅団地再生に関する国土交通省の取組について
				第1回連絡会議 会議資料 2-2 コンパクト・プラス・ネットワークの推進について
				第1回連絡会議 会議資料 2-3 同上取組事例
	住宅団地再生連絡会議			第2回連絡会議 01 議事次第
				第2回連絡会議 02 参加団体
				第2回連絡会議 会議資料 1-1-1 住宅団地の活性化に向けた広島市の取組
				第2回連絡会議 会議資料 1-1-2 持続可能な郊外住環境実現プロジェクト(埼玉県内5団地)
				第2回連絡会議 会議資料 1-1-3 郊外大規模団地に住み続けられるためのNPO×地域住民での取組 (千葉市海浜ニュータウン)
405				第2回連絡会議 会議資料 1-1-4 いつまでも住み続けたい街づくり(NPOさくら茶屋にししば)
				第2回連絡会議 会議資料 1-1-5 同上続き
				第2回連絡会議 会議資料 1-2-1 ふるさと団地の元気創造推進事業(大分市団地コミュニティ活性化)
				第2回連絡会議 会議資料 1-2-2 DIYリノベーション等による新たな入居者獲得(大阪府住宅供給公社)
				第2回連絡会議 会議資料 1-2-3 近鉄グループの沿線価値向上に向けた取組
				第2回連絡会議 会議資料 1-2-4 産官学による地域包括ケア豊明モデル(UR賃貸豊明団地)
				第2回連絡会議 会議資料 1-2-5 同上続き
				第2回連絡会議 会議資料 2 国土交通省からの情報提供 ○国交省の取組施策 ○住宅団地の実態調査

5. 国土交通省ホームページ 全国的な取り組み

文献番号	名称	年	著者・作成団体等	概要
501	二地域居住促進等のための空き家の活用に関する調査結果について	2006	国土計画局総合計画課	都市と農山村の「二地域居住」等を促進するための空き家所有者へのアンケート調査
502	農地付き空き家の手引き	2018	土地・建設産業局 住宅局	空き家に隣接する有休農地をセットとして活用する取り組みを行おうとする関係団体担当者向けの取り組み事例や関連制度の紹介等
503	空き家再生等推進事業について＋事例		住宅局住宅総合整備課(法律・税制)・住環境整備室(予算)	除却事業対象:旧産炭地域、過疎地域 活用事業対象:全国 空き家住宅活用事例:町屋の離れと蔵 →滞在型観光施設 活用事業タイプ:長屋 →店舗＋イベント施設 除却事業タイプ:空き家除却 →ポケットパーク整備

文献番号	名称	年	著者・作成団体等	概要
504	空き家所有者情報の外部提供に関するガイドライン（試案）	2017	住宅局住宅政策課	市町村が空き家所有者情報を民間事業者等の外部に提供するに当たっての 法制的な整理、所有者の同意を得て外部に提供していく際の運用の方法及びその留意点等
505	05成熟社会に対応した 郊外住宅市街地の再生技術の開発	2018	大臣官房技術調査課	1. 背景と目標 2. 必要性 3. 技術上の課題 4. 技術開発の内容 5. 技術研究開発の体制 6. 技術研究開発スケジュール 7. 技術開発の成果・施策への反映と効果 参考資料
506	個人住宅の 賃貸活用ガイドブック	2014	住宅局住宅総合整備課	個人住宅空き家活用向けパンフレット 大家側と借り主側の留意点、DIY型賃貸の紹介等
507	個人住宅の賃貸流通促進に関する検討会資料	2013	住宅局住宅総合整備課	個人住宅を適切に管理し、賃貸流通を促進するためのルールを設備し、賃貸住宅市場を整備するための検討会
508	国土審議会計画部会第9回ライフスタイル・生活専門委員会資料	2006	国土計画局総合計画課	(資料6)空き家の活用事例について 活用事例4タイプ 1. 古民家活用 2. 空き農家バンク 3. 空き蔵活用仲介 4. 空き家を不動産として媒介
509	不動産ストックビジネスの 発展と拡大に向けて	2016	建設産業局不動産市場整備課	不動産ストックの再生活用や資金調達が面する課題について具体的事例から学び実践
510	平成29年度先駆的空き家対策モデル事業	2017	住宅局住宅総合整備課住環境整備室	事業の概要、公示、応募要領、採択団体の一覧表 募集テーマ：再発防止・所有者不明・流通促進・情報共有他
511	空家等対策の推進に関する特別措置法（概要）＋基本指針＋ガイドライン	2014	住宅局住宅総合整備課（法律・税制）・住環境整備室（予算）	特別措置法の概要、空き家等に関する施策を総合的かつ計画的に実施するための基本的な指針（概要）、同左（ガイドライン（概要）、別紙1～4の概要
512	空家等対策の推進に関する特別措 置法の施行状況等について	2017	国土交通省・総務省調査	1. 空き家等対策計画の策定状況 2. 特定空き家等に対する措置の実績 3. 法定協議会の設置状況 4. その他
513	空家等に関する施策を総合的かつ計画的に実施するための基本的な指針	2015	住宅局住宅総合整備課	1. 空き家等に関する施策の実施に関する基本的な事項 2. 空き家等対策計画に関する事項 3. その他必要な事項
514	空き家の発生を抑制するための特例措置について（空き家の譲渡所得の3,000万円特別控除）	2016頃		1. 制度の概要 2. 適用を受けるに当たってのポイント 3. 他の税制との適用関係 4. 必要な書類 5. 必要な書類
515	空家の除却等を促進するための土地に係る固定資産税等に関する所要の措置(固定資産税等)	2016頃		・制度の概要(住宅用地特例から除外) ・施策の背景
516	空き家の発生を抑制するための特例措置の創設(所得税・個人住民税)	2016頃		・施策の背景(空き家の実態と主な発生要因) ・要望の結果(3,000万円特別控除)
517	特定空家等に対する措置に関する適切な実施を図るために必要な指針（ガイドライン）	2016頃	住宅局住宅総合整備課住環境整備室	1. 空き家等に対する対応 2. 特定空き家等に対する措置を講ずるに際して参考となる事項 3. 特定空き家等に対する措置
518	定住促進空き家活用事業(過疎地域集落再編整備事業)	2016頃	総務省自治行政局過疎対策室	・定住促進空き家活用事業概要 ・地方自治体の空き家対策への財源措置
519	先駆的空き家対策モデル事業 – 国土交通省	2018	住宅局住宅総合整備課	・事業概要 ・モデル事業の公示 ・募集要領 ・平成29年度採択団体一覧
520	空き地・空き家等外部不経済対策について	2008頃	アンケート調査(2007年)の担当は、土地・水資源局土地利用調整課	1. 現状 2. 現状の取り組み (1)空き地・空き家の管理活用等の取り組み (2)その他の取り組み (3)国の支援事業等 3. 政策課題
521	全国の空き家空き地情報がワンストップで検索可能となります 全国版空き家・空き地バンクの試行運用開始について（報道発表資料）	2017	土地・建設産業局不動産業課	1. 現状・課題 2. 全国版空き家・空き地バンクの試行運用 (別紙)利用方法(イメージ)
522	空き家等の流通促進に向けた取り組み	2017	(公社)全日本不動産協会	1. 各地方本部の主な取り組み 2. 取り組み事例(青梅市)(富岡市) 3. 全日本不動産協会の取り組み
523	コラム 空き家の現状と「空家等対策の推進に関する特別措置法」の成立	2015	国土交通白書2015 第1部第1章第2節	人口減少が地方のまち・生活に与える影響
524	空き家発生・分布メカニズムの解明に関する調査研究（その1）	2017	国土交通政策研究 第136号2017年 国土交通政策研究所	1. 調査研究の背景・目的及び全体像 2. 現地調査 3. 空き家分布の把握 4. 課題と今後の取り組み予定
525	首都圏における「その他の空き家」についての一考察		国土交通政策研究所報 第63号 2017年冬期 客員研究員 倉橋透	1. はじめに 2. 首都圏における空き家率の推移 3. その他の空き家率の低下と不動産市場 4. その他の空き家の対策 5. おわりに
526	その他の沿線の取組について	2012	横浜市＋東急電鉄 山万株式会社	・横浜市＋東急電鉄 次世代型郊外まちづくりの取り組み ・山万株式会社 ユーカリが丘における三位一体のまちづくり
527	全国空き家対策推進協議会の設立について	2017	住宅局 住宅走行整備課 住宅環境整備室	・協議会の趣旨、活動内容 ・参加団体名簿 ・概要資料
528	空き家対策等に係る中間とりまとめ	2017	社会資本整備審議会 産業分科会 不動産部会	1. はじめに 2. 空き家対策の推進について(空き家の現状、基本的な間が瀬江方、空き家問題解消に向けた具体的取り組み) 3. 不動産分野の新技術の活用等に係わる今後の方向性について 4. 今後の不動産業の発展に向けて
529	29中古市場活性化・空き家活用促進・住み替え円滑化に向けた取り組みについて	2015	土地・建設産業局 住宅局	・中古住宅流通市場の現況他 1. 中古住宅流通の活性化に向けた取組 2. 空き家の有効活用促進に向けた取組 3. 住み替え円滑化に向けた取組
6. 国土交通省ホームページ 地方の取り組み				
601	横浜市における空家対策の取組状況について	2017	横浜市建築局企画部	1. 横浜市の空き家を取り巻く現状 2. 横浜市空き家等対策計画について 3. 今後の取り組みと課題
602	佐渡市空き家対策事業について			1. 事業の背景 2. 事業の概要 3. 佐渡市としての取り組み 4. アンケート結果 5. 空き家対策事業実績 6. 今後の課題・展開
603	石巻の小さな会社が拓く、不動産賃貸の新しい可能性		合同会社 巻組	・空き家をリノベーションしてシェアハウスを提供する事業により、まちの担い手を育てるための住む場所を提供
604	大分県大分市「車座ふるさとトーク」	2018	国交省住宅局住宅総合整備課	・大分県大分市で開く「車座ふるさとトーク」の報道発表資料
605	尾道市ー空き家の再生と活用を通した地域の活性化 ～空き家バンクと …		広島県尾道市＋NPO	・空き家バンク制度の設置 ・NPOによる空き家活用のための活動

文献番号	名称	年	著者・作成団体等	概要
606	兵庫県宝塚市：法務や不動産の専門家ネットワークによるノンストップ空き家対策	2009以降	NPO法人兵庫空き家相談センター	特定空き家の判断基準マニュアル、課題事例集、相談対応者育成のための事例集、空き家管理処分マニュアルの作成
607	山形県空き家活用相談体制整備事業	2016	山形県空き家活用支援協議会	・県全域対象の空き家管理等相談体制を関係各団体と連携して整備 ・相談窓口の設置
608	青森県における空き家の適正管理等に関する相談及び住みかえ	2014	青森県住みかえ支援協議会	・青森、弘前、八戸、ミサワを対象とする空き家管理等相談体制を関係各団体と連携して整備
609	群馬県空き家活用・住み替え支援協議会	2014	群馬県空き家活用・住み替え支援協議会	・県全域対象の空き家管理等相談体制を関係各団体と連携して整備
610	福島県における空き家管理・活用等の相談体制整備事業	2014	一般社団法人IORI倶楽部	・県全域対象の空き家管理等相談体制を関係各団体と連携して整備 ・相談窓口の設置
611	愛知県市町村空き家相談体制整備支援事業	2013	愛知県住宅供給公社	・県全域対象の空き家管理等相談体制を関係各団体と連携して整備 ・相談窓口の設置
612	島根県空き家適正管理等に関する相談体制整備事業	2013	島根県空き家管理等基盤強化推進協議会	・県全域対象の空き家管理等相談体制を関係各団体と連携して整備 ・相談窓口の設置
613	広島県空き家管理等に関する相談体制整備事業	2013	広島県空き家対策推進協議会	・県全域対象の空き家管理等相談体制を関係各団体と連携して整備 ・相談窓口の設置
614	埼玉県の空き家の管理・活用による持続可能な地域づくり事業	2013	公益財団法人 日本賃貸住宅管理協会埼玉支部	・県全域対象の空き家管理等相談体制を関係各団体と連携して整備 ・相談窓口の設置
615	滋賀県空き家管理等基盤強化推進事業	2013	滋賀県空き家管理等基盤強化推進協議会	・県全域対象の空き家管理等相談体制を関係各団体と連携して整備 ・相談窓口の設置
616	長野県 空き家の管理、有効活用及び住み替えと解体に関する総合的な	2013	長野県建築士会	・県全域対象の空き家管理等相談体制を関係各団体と連携して整備 ・相談窓口の設置
617	京都府建築士会空き家対策ネットワーク事業	2013	京都府建築士会	・府全域対象の空き家管理等相談体制を関係各団体と連携して整備 ・相談窓口の設置
618	山形県空き家活用相談体制整備事業	2013	山形県空き家活用支援協議会	・県全域対象の空き家管理等相談体制を関係各団体と連携して整備 ・相談窓口の設置
619	福島県会津地域における空き家管理・活用等の相談体制整備事業	2013	一般社団法人IORI倶楽部	・会津地域対象の空き家管理等相談体制を関係各団体と連携して整備 ・相談窓口の設置
620	こうち空き家対策強化推進事業	2013	一般社団法人 高知県中小建築業協会	・県全域対象の空き家管理等相談体制を関係各団体と連携して整備 ・基礎情報調査、相談マニュアル、相談窓口整備
621	空き家管理・利活用ビジネススキーム創設事業	2012	一般社団法人 全国不動産コンサルティング協会	・空き家利活用の実績のある専門家が連携し、空き家美死ね素マニュアルの改訂、トラブル事例解決マニュアル等の検討を行い、空き家ビジネス環境を整備（全国対象）
622	大阪圏空き家見守りのための地域ビジネスサポートシステム構築事業	2012	一般社団法人 大阪府不動産コンサルティング協会	・不動産関連の専門家が連携し、地域の主婦や高齢者を管理の担い手とする小規模事業者等によるコミュニティビジネスモデルを構築、支援ツールを作成し空き家ビジネス環境を整備
623	松江市における「空き家対策推進研究プロジェクト」別添 事業報告書 …	2016	島根県建築住宅センター	・空き家対策に関連する専門家を交え、基準の妥当性を検証 ・データベース項目の検討
624	盛岡市町屋等再生活用による空き家対策仕組み作り事業	2011以降	盛岡まち並み研究会	・歴史的街並み地区における町屋の活用、街並みの修景、賑わいの創出を前提とした、総合的な不動産流通、活用の仕組み作り
625	千葉県地元不動産業者と協力する需要者へのオーダー・リフォーム・サービスによる空き家流通促進		特定非営利活動法人ちば地域再生リサーチ	・中古集合住宅の空き家流通、デザイン性向上のための、オーダーリフォームの提案と不動産業者と連携した社会実験の実施
626	徳島県空き家対策加速化事業	2016	徳島県住宅供給公社	・空き家調査をモデル的に実施し、マニュアルの充実化 ・空き家情報のシステム構築　・特定空き家の判断基準のマニュアル化
627	福島県全域を対象とした、官民が広域連携で運用する、空き家情報サイトの構築	2013以降	一般社団法人IORI倶楽部	・全県対象の官民連携による広域的空き家情報サイトを中心としたプラットホームの構築と自治体間のコンセンサスの形成
628	かごしま空き家対策強化推進事業 ―地域課題に応じた具体的取組方策	2016以降	公益財団法人 鹿児島県住宅・建築総合センター	・実務者向け空き家対策ガイドブック・パンフレットの作成
629	神奈川 空き家利活用等を支援する住宅総合マネジメントシステムの構築		社団法人 かながわ住まい・まちづくり協会	・郊外住宅団地を対象に、空き家の利活用や高齢者の住み替えに係わる支援体制を関連団体と連携して整備
630	奈良県郊外住宅地流通促進研究事業		奈良県地域住宅協議会	・郊外住宅団地を対象に、既存住宅流通市場分析、空き家所有者意識調査、住み替え支援促進方策の検討等
631	広島県府中市―官民連携による中心市街地の空き家利活用促進事業		府中市中心市街他空き家活用推進協議会	・空き家の流通阻害要因分析・空き家化予防策検討、関係各団体と連携して活用相談会を実施

謝辞

　調査に際しては、以下の方々にお世話になりました。（敬称略、取材順、所属等は取材時）
厚く御礼申し上げます。

　　宮本茂（公益社団法人中国地方総合研究センター　副総合研究リーダー　主席研究員）

　　広島市地域活性化調整部コミュニティ再生課

　　五月が丘連合町内会

　　五月が丘地区社会福祉協議会

　　広島市佐伯区役所市民部地域起こし推進課

　　木村忠信（毘沙門台学区社会福祉協議会会長）

　　林　裕（毘沙門台学区社会福祉協議会　毘沙門台ふれあいセンター絆　事務局長）

　　浦野紀元（矢野南連合町内会会長）

　　広島市安芸区役所市民部地域起こし推進課

　　大月敏男（東京大大学大学院工学研究科建築学専攻教授）

　　中西正彦（横浜市立大学国際総合科学部国際都市学系まちづくりコース准教授）

　　広島市安佐北区役所建築課

　　尾田豊機（あさひが丘連合自治会会長）

　　間野　博（福島大学うつくしまふくしま未来支援センター特任教授）

　　くすの木台自治会

　　くすの木台団地宅地建物委託管理センター

　　広島市安佐南区区役所市民部地域起こし推進課

　　松尾敏子（美鈴が丘まちづくり協議会会長・美鈴が丘地区社会福祉協議会会長）

　　株式会社トータテ　都市開発事業部

　　松波龍一（ＮＰＯ湯来里守機構　代表）

　　三井ホーム株式会社中国支店

　　三井不動産リアルティ中国株式会社　Ｒｅ：倶楽部美鈴が丘

　　池邉優雅（社会福祉法人新樹会すくすく・いきいき村緑が丘こども園副園長）

　　柴田　健（大分大学理工学部創生工学科建築学コース准教授）

　　竹野内啓佑（海田町一貫田自治会会長）

令和2年9月21日　　　　　　　　　　　　　調査研究レポート　No. 18323

地域が担う郊外住宅団地の活性化事例レポート

発　行　　公益財団法人　日本住宅総合センター
　　　　　〒102-0083 東京都千代田区二番町6番地3　二番町三協ビル5階
　　　　　電話　03-3264-5901

印　刷　　株式会社サンワ

ISBN978-4-89067-323-0

No. 14314 **住宅産業の円滑な海外展開を支援するビジネスライブラリー2** **＜モンゴル・ベトナム編＞** 28年3月発行 A4判171頁 定価［本体価格3700円＋税］（送料別）	海外進出を円滑に進めるための情報収集やコネクションの形成について、個々の企業が取り組むことは困難を伴う。本調査は、先駆的企業の得た知見を共有すべき情報として整理したビジネスライブラリー第2弾であり、モンゴルとベトナムを対象としている。
No. 14315 **用途地域の例外許可に関する調査研究Ⅱ** **＜世田谷区と大田区におけるケーススタディ＞** 29年3月発行 A4判88頁 定価［本体価格1400円＋税］（送料別）	成熟社会を迎えた我が国では、歩ける範囲で多様なサービスを享受できる街づくりへの要請が高まっており、現行の建築基準法では立地が認められない建築用途であっても、柔軟な対応の検討が必要となってきている。本研究では、用途規制の例外許可の柔軟な運用を念頭に置き、その運用に資する知見を得ることを目的として調査研究を行った。
No. 16316 **住宅資産を活用した金融手法に関する調査 報告書** 29年10月発行 A4判59頁 定価［本体価格1700円＋税］（送料別）	「住生活基本計画」では、住宅金融市場の整備の必要性が示されている。とりわけ、高齢期における住み替え等の住関連資金のため、住宅資産を活用した金融手法を整えることは重要である。本研究では、リバースモーゲージ等の金融手法について現行制度や課題等を把握し、それらの商品のあり方や住宅政策として実施する政策的意義等について検討し調査を行った。
No. 17317 **高齢者向け住宅における社会的費用および社会的便益に関する調査研究** 31年1月発行 A4判93頁 定価［本体価格1500円＋税］（送料別）	高齢化の進捗により、建設や運営において政府から補助金が支出されているサービス付高齢者住宅の建設が進められている。サービス付高齢者住宅の効果的な整備のあり方を検討する際の参考材料として、住宅整備の社会的費用と社会的便益の推計手法について、既往研究に基づいた調査研究を行った。
No. 16318 **中古住宅取引と建物価格査定制度** 31年2月発行 A4判128頁 定価［本体価格1600円＋税］（送料別）	中古住宅取引は、売主が物件の価値を客観的に把握できない点で情報の非対称性に直面する。この問題を改善するために、新しい建物価格査定システムが導入され始めている。本研究は、新しいシステムが従来のシステムとどのように異なっているのか整理し、データ分析を通してその課題を検討している。
No. 16319 **オランダ＜KUUB＞等の参加型住まい・まちづくりに学び 地方都市の新たな"まちなか再生法"を探る** **ー宇部市＜まちなか再生プロジェクト＞の取り組みを通してー** 31年1月発行 A4判139頁 定価［本体価格1815円＋税］（送料別）	地方都市の中心市街地等における居住とサービスを回復するための「市民会社によるコーポラティブ住宅方式を活用した事業手法」について、オランダのNPO＜KUBB＞の取組みの現地調査報告、また、山口県宇部市のまちなか（中央町地区）再生事例を通じた課題整理と解決への提言を行っている。
No. 16320 **市町村住宅政策の企画・立案のための統計データ活用手法に関する調査 報告書** 令和元年5月発行 A4判144頁 定価［本体価格2500円＋税］（送料別）	人口構成や住宅の特徴は地域ごとに異なっているため、市町村レベルの住宅政策は、課題解決に有効と考えられる。本稿は、新たに住宅政策を企画・立案する自治体に向けたマニュアルを作成するために行った調査をまとめたものである。なお、巻末に各自治体に配布されたマニュアルの詳細版を掲載している。
No.19321 **木造住宅密集地域解消対策に関する調査 京都市の取り組み 報告書** 令和元年10月発行 A4判59頁 定価［本体価格2500円＋税］（送料別）	木造住宅密集地域の解消は多くの自治体にとって長年の課題である。本調査は、京都市が進めている接道義務の緩和を目的とした細街路対策を定量的に評価することを目的とするものである。
No. 18322 **2033年 までに必要となる住宅戸数の推計** ー新築・リフォーム・空き家活用等ー （住宅関連基礎的統計データ活用上の留意点に関するケーススタディ） 令和2年3月発行 A4判68頁 定価［本体価格1982円＋税］（送料別）	わが国の住宅ストックの現状を質の面（耐震、省エネ、バリアフリー等）から把握し、そのうえで全世帯に一定の質の住宅を確保しようとする場合の住宅供給量を推計するケーススタディを通じて、「住宅・土地統計調査」の制約、限界を整理し、それを代替するための集計手法や補完データ活用等について整理した。

＊定価には消費税を含んでいます。

The Quarterly Journal of Housing and Land Economics

季刊 住宅土地経済

現代経済学による住宅・土地問題の分析と実証および政策に関する研究論文などを掲載
B5判 40頁
発行 1月1日、4月1日、7月1日、10月1日
年間購読料[本体価格 2,860円＋税]（送料含）

欧米4か国におけるキャピタルゲイン課税制度の現状と評価 （No.06811）

海外住宅・不動産税制研究会編著
A5判 172頁 価格（税込）3,800円 送料別

諸外国の税制の実態把握と評価・分析は、わが国において望ましい課税のあり方を展望する際にも極めて有用である。本書は、欧米4か国（イギリス、アメリカ、ドイツ、フランス）の住宅・不動産をめぐるキャピタルゲイン課税に関する研究論文を収録したものである。終章では、4か国横断的な視点で総括的な分析を行なっている。

欧米4か国における住宅・不動産関連流通税制の現状と評価 （No.07812）

海外住宅・不動産税制研究会編著
A5判 133頁 価格（税込）3,300円 送料別

海外住宅・不動産税制研究会編著による諸外国税制シリーズの第二弾である。本書は、欧米4か国（イギリス、アメリカ、ドイツ、フランス）の住宅・不動産関連の流通税制をテーマに、制度成立の歴史的背景と理念、沿革、現行制度の基本的枠組み等について国別に検討・考察したものである。終章では、全体を俯瞰するグローバルな視座で、対比的な分析と評価を行なっている。

相続・贈与税制再編の新たな潮流
～イギリス、アメリカ、ドイツ、フランス、スイス、カナダ、オーストラリア、日本～ （No.09813）

海外住宅・不動産税制研究会編著
A5判 347頁 価格（税込）5,250円 送料別

海外住宅・不動産税制研究会編著の税制研究シリーズ第三弾である。近年、主要先進国において廃止や軽減のトレンドが認められる相続・贈与税制の制度的枠組みについて、住宅・不動産の位置づけの重要性、課税方式や他の税目との関係等を視野に収めつつ、国別にとりまとめた成果である。終章では、相続・贈与税制をめぐる世界的な潮流をさまざまな視点で総括し、今日的な課題を提示している。今後わが国において相続・贈与税制の議論を深める上で参考になろう。

主要先進国における住宅・不動産保有税制の研究
～歴史的変遷と現行制度ならびに我が国への示唆～ （No.10814）

海外住宅・不動産税制研究会編著
A5判 478頁 価格（税込）5,250円 送料別

海外住宅・不動産税制研究会編著の書籍の第四弾であり、欧米4か国ならびに日本における住宅・不動産保有税をテーマとしている。イギリス、アメリカの各州、ドイツ、フランスおよび日本における固定資産税の制度についての比較研究であり、さらに日本については、租税法学的検討と併せて、経済学の視点から実証分析を行い、政策的インプリケーションを導いている。本書が、租税法や関連分野の研究者のみならず、さまざまな実務に携わる方々にも幅広く活用されることを祈念するものである。

欧米4か国における政策税制の研究 （No.11815）

海外住宅・不動産税制研究会編著
A5判 314頁 定価[本体5,000円＋税] 送料別

海外住宅・不動産税制研究会編著の書籍の第五弾である。本書は、今後のわが国の政策税制のあり方の検討に資することを目的として、主要先進国（英・米・独・仏）における住宅・土地関係を中心とする政策税制について、その内容、政策目的、存在形式、適用期限、減収額等を調査するとともに、各国における政策税制措置に対する評価と制度改編に際しての議論の実態等を記述したものである。本書が租税法や関連分野の研究者のみならず、さまざまな実務に携わる方々にも幅広く活用されることを期待するものである。

今に生きる日本の住まいの知恵
～わが国の気候・風土・文化に根ざした現代に相応しい住まいづくりに向けて～ （No.11816）

日本の住まいの知恵に関する検討調査委員会著
A4判 カラー50頁 定価[本体850円＋税] 送料別

わが国の伝統的な木造住宅は、軸組構法を基本とし、和室（畳）、真壁、襖・障子、土壁など、わが国の気候・風土・文化に根ざした技術・仕様が盛り込まれ、夏涼しく冬暖かい省エネ型住宅として現代でも再評価されるべき面がある。一方で、現代の住宅の仕様は、居室の洋室化や構造の非木造化などが進行し、従来の伝統的な技術等の継承が課題となっている。本書は、わが国の伝統的な木造住宅の技術等を取り入れつつ、現代のニーズや志向にマッチした新しい木造住宅等の形やその住まい方について提案し、住宅生産に関わる者やエンドユーザーの参考に供するものである。